PRACTICAL
JAPANESE
BASIC EXPRESSIONS FOR LIVING AND TRAVEL

くらしと旅行のための基礎日本語

小川 清美＝著
Orrin Cummins＝英語監修

IBC パブリッシング

まえがき

　この本は、実用的な日本語を、丸暗記でなく文法も理解しながら覚えたい、という方のために書きました。

　私は日本に仕事で短期在住する方や、旅行で訪れる前に必要な日本語を勉強したいという方を中心に、日本語を教えています。教えはじめたばかりのころは、日本語教師養成講座で教えられたように、ひらがなとカタカナを最初に教え、「これ、それ、あれ」のような基本的な文法を、時間をかけて教えていました。しかし、教えていくうちに、生徒からさまざまな意見や質問を受け、自分の教え方に疑問を抱くようになりました。せっかくひらがなを覚えても、メニューは漢字やカタカナばかりでわからない。時間や道は自分で調べられるから、もっと楽しくて、会話で使えるものが知りたいなど。決定的だったのは、「こうして日本語を勉強していても、レストランでウェイトレスが話す言葉がぜんぜんわからない。先生が話す日本語と違う」というものでした。彼が言っていたのは、敬語のことでした。たしかに一般的に日本語教授法では、敬語は初級者には教えません。難しすぎるからです。しかし、実際の生活ではお店では必ず敬語が使われています。

　このように、さまざまな意見を聞きながら、私は次第にオリジナルのテキストを作って教えるようになりました。敬語を会話の中に取り入れ、カタカナや漢字は必要最低限なものだけをリストにして手渡すなどの工夫をしました。また、日本人がよく使う言葉や外国人に聞くフレーズなども、初級者向けでなくても教えるようにしました。こうしてできたのが、本書です。

　本書では、学生さんだけではなく一般の方のためにも、くだけすぎず、かたすぎない日本語を使用しています。ダイアローグではお店の人が話す敬語も学べますので、より実生活に近い日本語が学べると思います。

　この本で実用的な日本語を覚えて、日本での滞在そして日本人との会話を楽しんでくださいね！

小川清美

カバー・本文デザイン：斉藤啓（ブッダプロダクションズ）
編集協力：マイケル・ブレーズ／ロブ・サターホワイト

Preface

This book is for students who wish to study Japanese through grammatical comprehension rather than through rote learning.

I am now teaching students who are residing in Japan for a short time or people who are planning on visiting Japan. When I first began teaching, I followed the standard practice learned at teachers' training courses and spent a great deal of time on hiragana and katakana and grammatically simple words like "kore," "sore," and "are" (here, there, and over there). In the course of teaching, I received many questions and comments from the students and began to doubt the efficacy of my methodology. I was told that the study of hiragana was not very useful since menus were largely written in kanji (Chinese characters) and katakana. Students said they could tell the time and read a map on their own; what they wanted was to have some fun engaging in ordinary conversation. The decisive comment was that with the Japanese they were learning now, they couldn't understand the Japanese spoken by a waitress or waiter at a restaurant; their language was different from the Japanese taught in class. What this student was referring to was polite Japanese, and he had a point. Polite Japanese is usually thought to be too difficult for beginning students, but in everyday life, when out shopping, for example, polite Japanese will invariably make an appearance.

Learning from these comments and trying to respond to them, I gradually began to create my own teaching material. I incorporated polite language in classwork and made up a list of the minimum number of kanji and katakana, which I passed out to the students. I began teaching certain phrases that are commonly used by Japanese or that students have particular difficulty with. The result of these efforts is the present book.

The Japanese used in this book, targeting school students as well as the general learner, takes a middle road: it is not too casual but not too polite. In this way you are able to understand the Japanese spoken in restaurants and stores, making your Japanese much more useful.

Once you have finished this book, I hope that you will end up speaking more practical Japanese and that your stay in Japan, and your encounters with Japanese people, will be much more productive and enjoyable.

Kiyomi Ogawa

Contents

Chapter 2 Verbs
第2章 動　詞 57

Chapter 3 Sentence Patterns
第3章 いろいろな文型 73

Appendix
付録 87

Introduction

Japanese Basics

はじめに
日本語のきそ

How to Use This Book

This book contains romanized Japanese for beginners who cannot yet read kana or kanji. Because the pronunciation of this romaji differs somewhat from English standards, first have a look at the kana table to see how the syllables (see page 10) are pronounced.

Next you will find a chart listing the most essential kanji and katakana vocabulary terms. This could be handy to bring with you as you visit restaurants and shops.

In Chapter 1, you will use nouns and adjectives together with the 「A は B です」 sentence pattern to describe the time and people's names.

Chapter 2 then introduces verbs along with the basic sentence structure of Japanese: 「S は O を V ます」. With this, you will be able to talk about your own actions.

And finally, Chapter 3 contains a number of expressions that incorporate the things you learned in the previous two chapters. The phrases provided here are extremely useful in everyday life.

Although the content of the book is easiest to understand if studied in order, feel free to skip around and read the parts that interest you the most first. Rather than read the first chapter and get discouraged because it seems difficult, flip through the book and discover the phrases that you want to use if that is more important to you.

The final pages of the book contain tables of verbs and adjectives to help you increase your working vocabulary.

Here's an example using Lesson 4.

Each lesson is contained entirely within a two-page spread, preventing you from having to flip back and forth.

Study the sentence patterns and main point first, then try to use the new vocabulary in your own sentences for practice. Next, read the dialogue followed by the English translation. If some words are unfamiliar, check the panel at the bottom of the right page.

You can start from any place in the book, but the grammar is easier to follow if you start with Lesson 1.

Each lesson is structured so that you can finish each one with one hour of study a day.

1. Understanding grammatical construction: pay particular attention to the "Point."

2. By inserting various words into the patterns in #1, create your own sentences.

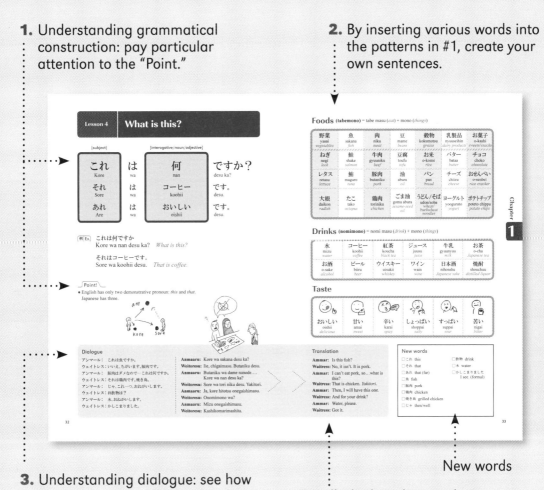

3. Understanding dialogue: see how much you can understand without looking at the translation.

4. Finally, look at the translation to verify your understanding.

New words

The hiragana syllabary contains 46 basic characters. Five of these represent syllables (あ, い, う, え, お) which are phonetically combined with consonants to form the remaining characters. In addition, many characters can be modified using the accent marks 「゛」 or 「゜」 to form slightly different sounds. Variants created by appending a small や, ゆ, or よ also exist.

Basic syllables

a		i		u		e		o	
a	あ	i	い	u	う	e	え	o	お
ka	か	ki	き	ku	く	ke	け	ko	こ
sa	さ	shi	し	su	す	se	せ	so	そ
ta	た	chi	ち	tsu	つ	te	て	to	と
na	な	ni	に	nu	ぬ	ne	ね	no	の
ha/wa	は	hi	ひ	fu	ふ	he/e	へ	ho	ほ
ma	ま	mi	み	mu	む	me	め	mo	も
ya	や			yu	ゆ			yo	よ
ra	ら	ri	り	ru	る	re	れ	ro	ろ
wa	わ							wo/o	を
n	ん								

kya	きゃ	kyu	きゅ	kyo	きょ
sha	しゃ	shu	しゅ	sho	しょ
cha	ちゃ	chu	ちゅ	cho	ちょ
nya	にゃ	nyu	にゅ	nyo	にょ
hya	ひゃ	hyu	ひゅ	hyo	ひょ
mya	みゃ	myu	みゅ	myo	みょ

rya	りゃ	ryu	りゅ	ryo	りょ

Modified syllables

ga	が	gi	ぎ	gu	ぐ	ge	げ	go	ご
za	ざ	ji	じ	zu	ず	ze	ぜ	zo	ぞ
da	だ	ji	ぢ	zu	づ	de	で	do	ど
ba	ば	bi	び	bu	ぶ	be	べ	bo	ぼ
pa	ぱ	pi	ぴ	pu	ぷ	pe	ぺ	po	ぽ

gya	ぎゃ	gyu	ぎゅ	gyo	ぎょ
ja	じゃ	ju	じゅ	jo	じょ

bya	びゃ	byu	びゅ	byo	びょ
pya	ぴゃ	pyu	ぴゅ	pyo	ぴょ

Katakana

This syllable set is primarily used for words borrowed from other languages, but they are also widely adopted into logos, slang speech, and other formats.
(For more on romaji, see p. 100)

Basic syllables

a	ア	i	イ	u	ウ	e	エ	o	オ
ka	カ	ki	キ	ku	ク	ke	ケ	ko	コ
sa	サ	shi	シ	su	ス	se	セ	so	ソ
ta	タ	chi	チ	tsu	ツ	te	テ	to	ト
na	ナ	ni	ニ	nu	ヌ	ne	ネ	no	ノ
ha/wa	ハ	hi	ヒ	fu	フ	he/e	ヘ	ho	ホ
ma	マ	mi	ミ	mu	ム	me	メ	mo	モ
ya	ヤ			yu	ユ			yo	ヨ
ra	ラ	ri	リ	ru	ル	re	レ	ro	ロ
wa	ワ							wo/o	ヲ
n	ン								

kya	キャ	kyu	キュ	kyo	キョ
sha	シャ	shu	シュ	sho	ショ
cha	チャ	chu	チュ	cho	チョ
nya	ニャ	nyu	ニュ	nyo	ニョ
hya	ヒャ	hyu	ヒュ	hyo	ヒョ
mya	ミャ	myu	ミュ	myo	ミョ

rya	リャ	ryu	リュ	ryo	リョ

Modified syllables

ga	ガ	gi	ギ	gu	グ	ge	ゲ	go	ゴ
za	ザ	ji	ジ	zu	ズ	ze	ゼ	zo	ゾ
da	ダ	ji	ヂ	zu	ヅ	de	デ	do	ド
ba	バ	bi	ビ	bu	ブ	be	ベ	bo	ボ
pa	パ	pi	ピ	pu	プ	pe	ペ	po	ポ

gya	ギャ	gyu	ギュ	gyo	ギョ
ja	ジャ	ju	ジュ	jo	ジョ

bya	ビャ	byu	ビュ	byo	ビョ
pya	ピャ	pyu	ピュ	pyo	ピョ

How to use Japanese characters?

Let's take a look at how Japanese people use hiragana, katakana, and kanji.

Romaji	For the convenience of foreigners.
Hiragana	Phonetic sounds, particles, and parts of verbs and nouns.
Katakana	Foreign names and words. ハンバーガー (hanbaagaa)
Kanji	Originally from China, these are used for nouns, adjectives, and verbs.

Why do Japanese people use different style characters in the same sentence?

Japanese sentences don't have spaces between words, so we use different types of characters to distinguish words easily.

わたしはあめりかからきました。

Watashiwaamerikakarakimashita.

↓

私はアメリカから来ました。

Watashi wa Amerika kara kimashita.

I can't memorize three different sets of characters.

If you want to focus on speaking, you can start by learning with romaji.
To recognize street signs and directions, you should still learn a few kanji. And for reading menus, katakana is extremely useful.

Kanji

Here are the most critical kanji you will encounter in Japanese daily life.
(A few of the words incorporate hiragana characters as well.)

入口
iriguchi *entrance*

出口
deguchi *exit*

開ける
akeru *open*

閉める
shimeru *close*

大人
otona *adult*

子ども
kodomo *child*

男
otoko *man*

女
onna *woman*

大
dai *big*

中
chuu *middle*

小
shou *small*

料金
ryoukin *fee*

無料
muryou *free*

有料
yuuryou *paid (service)*

飲み/食べ放題
nomi/tabe houdai *all you can drink/eat*

一時間
ichi jikan *one hour*

一時
ichi ji *one o'clock*

豚肉
butaniku *pork*

牛肉
gyuuniku *beef*

鶏（鳥）肉
toriniku *chicken*

魚
sakana *fish*

焼肉
yakiniku *barbecue*

焼き鳥
yakitori *grilled chicken*

焼き魚
yakizakana *grilled fish*

寿司
sushi *sushi*

米
kome *rice*

油
abura *oil*

塩
shio *salt*

砂糖
satou *sugar*

醤油
shouyu *soy sauce*

酒
sake *alcohol*

ご飯
gohan *rice*

水
mizu *water*

（お）茶
(o-)cha *Japanese tea*

Katakana

These are essential for reading a menu at a restaurant or shopping at a store.

〜〜〜〜〜〜〜〜〜〜 メニュー 〜〜〜〜〜〜〜〜〜〜
Menu

ドリンク
Drinks

コーヒー
coffee

ブレンドコーヒー
blended coffee

アメリカンコーヒー
American (coffee)

カフェラテ
café latte

アイスティー
iced tea

ミルクティー
milk tea

レモンティー
lemon tea

ココア
cocoa / hot chocolate

ウーロンティー
oolong tea

オレンジジュース
orange juice

アップルジュース
apple juice

コーラ
cola

ペプシ
Pepsi

ジンジャーエール
ginger ale

シェイク
shake

ビール
beer

ワイン
wine

ウィスキー
whiskey

アイス・ホット Ice/hot

Katakana is very heavily used on restaurant menus. Snap a photo of this page with your smartphone—it will come in useful when dining out.

フード
Food

サンドイッチ
sandwich

トースト
toast

ハンバーガー
hamburger

チーズバーガー
cheeseburger

ポテト
french fries

サラダ
salad

ピザ
pizza

フライドチキン
fried chicken

カレーライス
curry rice

スパゲッティ
spaghetti

チーズ
cheese

バター
butter

ドレッシング
dressing

マヨネーズ
mayonnaise

デザート
Dessert

ケーキ
cake

パフェ
parfait

パイ
pie

アイスクリーム
ice cream

•ストロベリー
strawberry

•チョコレート
chocolate

•バニラ
vanilla

17

Greetings

The first step toward conversing with Japanese natives! Let's learn some essential phrases for opening a conversation.

おはよう
Ohayou *Good morning. (casual)*

おはようございます
Ohayou gozaimasu *Good morning. (formal)*

こんにちは
Konnichiwa *Hello.*

こんばんは
Konbanwa *Good evening.*

はじめまして
Hajimemashite *Nice to meet you.*

よろしくおねがいします
Yoroshiku onegaishimasu *Please treat me well.*

ありがとう
Arigatou *Thank you. (casual)*

いえいえ/どういたしまして
Ieie/Douitashimashite *You are welcome.*

どうも
Doumo *Thanks. (at store)*

ありがとうございます/ました
Arigatou gozaimasu/mashita *Thank you. (formal)*

はい／いいえ
Hai/Iie *Yes/No*

はい、おねがいします
Hai, onegaishimasu *Yes, please.*

いいえ、けっこうです
Iie, kekkoudesu *No thank you.*

また
Mata *See you.*

じゃ、また
Ja, mata *See you then.*

またね
Mata ne *See you. (casual)*

いただきます
Itadaki masu *(before eating)*

ごちそうさまでした
Gochisou sama deshita *(after eating)*

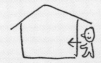

おじゃまします
Ojama shimasu *Please excuse me. (visiting)*

おじゃましました
Ojama shimashita *Please excuse me. (leaving)*

しつれいします
Shitsurei shimasu *Please excuse me. (business situation)*

● Japanese people don't ask "How are you?" at the office or at school. It is used for special occasions, such as after someone was sick or away for a long time.

おげんきですか？
Ogenki desuka? *How are you?*

はい、げんきです。
Hai, genki desu. *Yes, I'm fine.*

Useful phrases

ちょっとまってください
Chotto matte kudasai *Just a second.*

おまたせしました
Omatase shimashita *Thank you for waiting.*

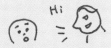

えいご わかりますか?
Eigo wakari masu ka? *Do you understand English?*

わかりません
Wakarimasen *I don't understand.*

ゆっくり おねがいします
Yukkuri onegai shimasu *Slowly, please.*

——ありますか?
——arimasu ka? *Do you have——?*

よやく できますか?
Yoyaku dekimasu ka? *Can I make a reservation?*

おすすめ は 何ですか?
Osusume wa nan desu ka? *What do you recommend?*

ひとつ/ふたつ/みっつ/よっつ おねがいします
Hitotsu/Futatsu/Mittsu/Yottsu onegai shimasu *1/2/3/4 please.*

お会計 おねがいします
Okaikei onegai shimasu　*Check, please.*

すみません
Sumimasen　*Excuse me./I'm sorry.*

おいしい
oishii　*delicious*

たのしい
tanoshii　*fun*

すごい
sugoi　*great/cool*

がんばって（ください）
Ganbatte (kudasai)　*Give it your best (please).*

気をつけて！
Ki o tsukete!　*Be careful!*

だいじょうぶですか
Daijoubu desuka?　*Are you OK?*

おだいじに
Odaijini　*Take care.*

どうぞ
Douzo　*Go ahead.*

いくらですか？
Ikura desu ka?　*How much does it cost?*

本当？
Hontou?　*Really?*

危ない！
Abunai!　*Watch out!*

Chapter 1
Nouns • Adjectives

第１章　名詞・形容詞

Japanese sentence structure

1. This is a pen.

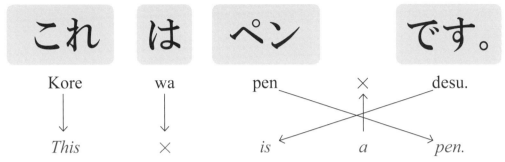

これ	は	ペン	です。
Kore	wa	pen	×	desu.
This	×	is	a	pen.

- The particles "wa/ga" are subject markers and come after the subject.
- The verb "desu" comes at the end of the sentence.
- There are no articles such as a, an, or the in the Japanese language.

2. Is this a pen?

これ	は	ペン	ですか？
Kore	wa	pen	×	desu ka?
Is	×	this	a	pen?

3. It is hot.

あつい	です。
×	Atsui	desu.
It	is	hot. ——→ Hot is

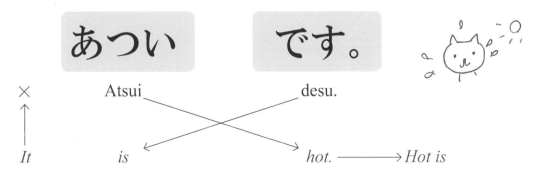

- This usage of *it* doesn't have an equivalent in Japanese.

Lesson 1 — What is your name?

[subject]		[noun/question]	
(お)名前 (O-)namae	は wa	何 nan	ですか？ desu ka?
私 Watashi	は wa	小川 Ogawa	です。 desu.

例 Ex.

お名前は何ですか？
O-namae wa nan desu ka?   *What is your name?*

小川です。
Ogawa desu.   *I am Ogawa.*

Point!

- It is uncommon to hear "Watashi no namae wa～" (My name is～). Usually people say "Watashi wa～desu" (I'm～). Natives typically omit the subject as well, simply saying "～desu."
- Also, the personal pronouns "anata" (you) and "anata no" (your) are generally not used.
- Japanese people give their surnames when introducing themselves.

(last name) (first name)
Ogawa **Kiyomi** ⟶ Ogawa desu. *(I'm Ogawa.)*

- The prefix "o" attached to the word "namae" shows respect to the other person, and is used among adults. Japanese don't ever add the possessive *your* if it is obvious from the context.

Dialogue

小川：	こんにちは。はじめまして。小川です。	**Ogawa:**	Konnichiwa. Hajimemashite. Ogawa desu.
マイク：	マイクです。はじめまして。	**Maiku:**	Maiku desu. Hajimemashite.
小川：	マイク…さんですね？	**Ogawa:**	Maiku…san desu ne?
マイク：	はい。お名前は何ですか？（女の子に）	**Maiku:**	Hai. O-namae wa nan desu ka? (onnanoko ni)
みさき：	みさきです。	**Misaki:**	Misaki desu.
マイク：	みさきちゃん、はじめまして。	**Maiku:**	Misaki-chan, hajimemashite.

Addressing yourself and others

名字・姓
surname / last name — **Ogawa Souta**   **Ogawa Yuri** — 名まえ
given name / first name

There are many ways to say "I" in Japanese.   **There are several ways to address other people.**

[formal]

わたし
watashi

小川さん
Ogawa-san

会社の人、知り合いなど
colleague, acquaintance

小川様
Ogawa-sama

ウェイター、店員
waiter, shop assistant

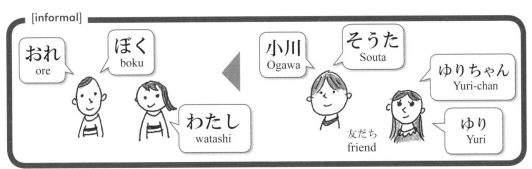

[informal]

おれ
ore

ぼく
boku

わたし
watashi

小川
Ogawa

そうた
Souta

ゆりちゃん
Yuri-chan

ゆり
Yuri

友だち
friend

[children]

ぼく
boku

わたし
watashi

そうたくん
Souta-kun

ゆりちゃん
Yuri-chan

子ども、大人
child, adult

Chapter 1

Translation

Ogawa: Hello, nice to meet you. I'm Ogawa.
Mike: I'm Mike. Nice to meet you.
Ogawa: Mike...right?
Mike: Yes. What is your name? (to the girl)
Misaki: Misaki.
Mike: Nice to meet you, Misaki.

New words

☐ 名前　name
☐ 何　what
☐ 私　I
☐ はじめまして　Nice to meet you.
☐ ～ね？　right?
☐ 女の子　girl
☐ ―に　to

Are you American?

[subject]

		[noun]	
あなた Anata	は wa	アメリカ人 Amerika-jin	ですか？ desu ka?
私 Watashi	は wa	イタリア人 Itaria-jin	じゃないです。 janai desu.
田中さん Tanaka-san	は wa	学生 gakusei	です。 desu.

例 Ex.　アメリカ人ですか？
Amerika-jin desu ka?　*Are you American?*

いいえ、アメリカ人じゃないです。イタリア人です。
Iie, Amerika-jin janai desu. Itaria-jin desu. *No, I'm not. I'm Italian.*

Point!

- For question sentences, "<country> no kata desu ka?" is more polite than saying "<country> jin desu ka?"

    Nihon-jin desu ka?　⟶　**Nihon no kata desu ka?**

- For responding, "sou desu" is commonly used instead of repeating the phrases. For negative responses, "chigaimasu" is used.

    Hai, Nihon-jin desu.　⟶　**Hai, sou desu.**
    Iie, Nihon-jin janai desu.　⟶　**Iie, chigaimasu.**

Dialogue

ナナ：	ジェイさんはアメリカの方ですか？		**Nana:**	Jei-san wa Amerika no kata desu ka?
ジェイ：	はい、そうです。アメリカ人です。		**Jei:**	Hai, soudesu, Amerika-jin desu.
	ナナさんは日本人ですか？			Nana-san wa Nihon-jin desu ka?
ナナ：	いいえ、ちがいます。インドネシア人です。		**Nana:**	Iie, chigaimasu, Indoneshia-jin desu.
ジェイ：	ああ、そうですか。		**Jei:**	Aa, sou desu ka.

Occupations

会社員 kaishain *employee*	社長 shachou *president*	マネージャー maneejaa *manager*	エンジニア enjinia *engineer*
プログラマー puroguramaa *programmer*	教師/先生 kyoushi/sensei *teacher*	インストラクター insutorakutaa *instructor*	公務員 koumuin *civil servant*
警察官 keisatsukan *police officer*	芸術家 geijutsuka *artist*	ミュージシャン myuujishan *musician*	自営業 jieigyou *self-employee*
主婦 shufu *homemaker*	建築家 kenchikuka *architect*	医者 isha *doctor*	看護師 kangoshi *nurse*
会計士 kaikeishi *accountant*	弁護士 bengoshi *lawyer*	銀行員 ginkouin *banker*	保育士 hoikushi *child-care worker*
運転手 untenshu *driver*	職人 shokunin *craftsman/artisan*	ヘアスタイリスト hea sutairisuto *hair stylist*	板前/コック itamae/kokku *cook*
作家 sakka *novelist/writer*	翻訳者 hon'yakusha *translator*	通訳者 tsuuyakusha *interpreter*	派遣社員 haken shain *temporary staff*
フリーター/アルバイト furiitaa/arubaito *part-time worker*	退職者 taishoku sha *retiree*	求職中 kyuushokuchuu *job seeker*	無職 mushoku *jobless*
学生 gakusei *student*	大学院 daigakuin *graduate*	大学 daigaku *university/college*	高校 koukou *high school*
中学校 chuugakkou *middle school*	小学校 shougakkou *elementary school*	幼稚園 youchien *kindergarten/preschool*	保育園 hoikuen *nursery*

* <company name> + no + shain **TOYOTA no shain** *Toyota employee*
* *sensei* is a title of address, while *kyoushi* is used to describe the profession or occupation

Translation

Nana: Jay, are you American?
Jay: Yes, I am. I'm American.
　　　　Nana-san, are you Japanese?
Nana: No, I'm not. I'm Indonesian.
Jay: Oh, I see.

New words

☐ あなた you
☐ 人（じん） person
☐ アメリカ人 American
☐ イタリア人 Italian
☐ ～じゃない not
☐ 学生 student
☐ ～の方 person (formal)
☐ アメリカの方 American

Where are you from?

[subject]

[question/place]

あなた
Anata

は
wa

どちら
dochira

から です か？
kara desu ka?

私
Watashi

は
wa

アフリカ
Afrika

から です。
kara desu.

例 Ex. どちら/どこからですか？
Dochira/Doko kara desu ka? *Where are you from?*

アフリカからです。
Afrika kara desu. *I'm from Africa.*

Point!

- "Doko" is casual, "dochira" is formal.
- "Kara" (from) comes after the place. ⟶ Amerika kara *from America*
- When asking for a specific city or a town, "～no doko desu ka" is used.

    Afrika no doko desu ka? *Where in Africa?*

Dialogue

王： どちらからですか？
ファビオ：ブラジルからです。
王： そうですか。ブラジルのどこですか？
ファビオ：サンパウロです。王さんはどちらからですか？
王： アメリカですけど、もともとは、中国です。

Wan: Dochira kara desu ka?
Fabio: Burajiru kara desu.
Wan: Sou desu ka. Burajiru no doko desu ka?
Fabio: Sanpauro desu. Wan-san wa dochira kara desu ka?
Wan: Amerika desu kedo, motomoto wa Chuugoku desu.

Countries

アメリカ Amerika *United States*	**シンガポール** Shingapooru *Singapore*
アラブ首長国連邦 Arabu Shuchoukoku Renpou *United Arab Emirates*	**スイス** Suisu *Switzerland*
イギリス Igirisu *United Kingdom*	**スウェーデン** Suweeden *Sweden*
イスラエル Isuraeru *Israel*	**スペイン** Supein *Spain*
イタリア Itaria *Italy*	**中国** Chuugoku *China*
インド Indo *India*	**ドイツ** Doitsu *Germany*
インドネシア Indoneshia *Indonesia*	**フィリピン** Firipin *Philippines*
エジプト Ejiputo *Egypt*	**フランス** Furansu *France*
オーストラリア Oosutoraria *Australia*	**ベトナム** Betonamu *Vietnam*
オーストリア Oosutoria *Austria*	**ロシア** Roshia *Russia*

Translation

Wang: Where are you from?
Fabio: I'm from Brazil.
Wang: Really? Where in Brazil?
Fabio: Saõ Paulo. Where are you from, Wang?
Wang: America, but I'm originally from China.

New words

☐ どちら where
☐ 〜から from
☐ アフリカ Africa
☐ ブラジル Brazil
☐ サンパウロ Saõ Paulo
☐ もともとは originally

Lesson 4 | What is this?

[subject]

これ	は
Kore	wa
それ	は
Sore	wa
あれ	は
Are	wa

[interogative/noun/adjective]

何	ですか？
nan	desu ka?
コーヒー	です。
koohii	desu.
おいしい	です。
oishii	desu.

例 Ex.　これは何ですか？
Kore wa nan desu ka?　*What is this?*

それはコーヒーです。
Sore wa koohii desu.　*That is coffee.*

Point!

● English has only two demonstrative pronoun: *this* and *that*.
Japanese has three.

Dialogue

アンマール：	これは魚ですか？
ウェイトレス：	いいえ、ちがいます。豚肉です。
アンマール：	豚肉はダメなので… これは何ですか？
ウェイトレス：	それは鶏肉です。焼き鳥。
アンマール：	じゃ、これ一つ、おねがいします。
ウェイトレス：	お飲物は？
アンマール：	水、おねがいします。
ウェイトレス：	かしこまりました。

Anmaaru:	Kore wa sakana desu ka?
Weitoresu:	Iie, chigaimasu. Butaniku desu.
Anmaaru:	Butaniku wa dame nanode…. Kore wa nan desu ka?
Weitoresu:	Sore wa tori niku desu. Yakitori.
Anmaaru:	Ja, kore hitotsu onegaishimasu.
Weitoresu:	Onomimono wa?
Anmaaru:	Mizu onegaishimasu.
Weitoresu:	Kashikomarimashita.

Foods (tabemono) = tabe masu (*eat*) + mono (*things*)

野菜 yasai *vegetables*	魚 sakana *fish*	肉 niku *meat*	豆・油 mame/abura *beans/oil*	穀物 kokumotsu *grains*	乳製品 nyuuseihin *dairy products*	お菓子 o-kashi *sweets/snacks*
ねぎ negi *leek*	鮭 shake *salmon*	牛肉 gyuuniku *beef*	豆腐 toufu *tofu*	お米 o-kome *uncooked rice*	バター bataa *butter*	チョコ choko *chocolate*
レタス retasu *lettuce*	鮪 maguro *tuna*	豚肉 butaniku *pork*	油揚げ abura-age *deep-fried tofu*	パン pan *bread*	チーズ chiizu *cheese*	おせんべい o-senbei *rice cracker*
大根 daikon *radish*	たこ tako *octopus*	鶏肉 toriniku *chicken*	ごま油 goma abura *sesame-seed oil*	うどん/そば udon/soba *wheat/ buckwheat noodles*	ヨーグルト yooguruto *yogurt*	ポテトチップ poteto chippu *potato chips*

Drinks (nomimono) = nomi masu (*drink*) + mono (*things*)

水 mizu *water*	コーヒー koohii *coffee*	紅茶 koucha *black tea*	ジュース juusu *juice*	牛乳 gyuunyuu *milk*	お茶 o-cha *Japanese tea*
お酒 o-sake *alcohol*	ビール biiru *beer*	ウイスキー uisukii *whiskey*	ワイン wain *wine*	日本酒 nihonshu *Japanese sake*	焼酎 shouchuu *distilled liquor*

Taste

おいしい oishii *delicious*	甘い amai *sweet*	辛い karai *spicy*	しょっぱい shoppai *salty*	すっぱい suppai *sour*	苦い nigai *bitter*

Translation

Ammar: Is this fish?

Waitress: No, it isn't. It is pork.

Ammar: I can't eat pork, so...what is this?

Waitress: That is chicken. *Yakitori*.

Ammar: Then, I will have this one.

Waitress: And for your drink?

Ammar: Water, please.

Waitress: Got it.

New words

- [ ] これ this
- [ ] それ that
- [ ] あれ that (far)
- [ ] 魚 fish
- [ ] 豚肉 pork
- [ ] ダメ can't/not allowed
- [ ] なので so,
- [ ] 鶏肉 chicken
- [ ] 焼き鳥 grilled chicken
- [ ] じゃ then/well
- [ ] 飲物 drink
- [ ] 水 water
- [ ] かしこまりました I see. (formal)

[subject]　　　　　　　　[question/person]

これ	は	だれ	ですか？
Kore	wa	dare	desu ka?
こちら	は	どなた	ですか？
Kochira	wa	donata	desu ka?
		ともだち	です。
		tomodachi	desu.

例 Ex.　これはだれですか？
Kore wa dare desu ka?　*Who is this?*

ともだちです。
Tomodachi desu.　*This is my friend.*

Point!

- "Kochira," "sochira," and "achira" are the polite forms of "kore," "sore," and "are."
- For directly asking someone who they are in person, "dochira" or "donata" is used.

Dialogue

（井上の家で）
トム：これはだれですか？（写真をみている）
井上：これは兄です。これは兄の奥さん。
トム：これはお母さんですか？
井上：はい、そして、これが父です。
トム：やさしそうですね。
　　　（ピンポーン）
井上：どなたですか？
男：　宅急便です。

(Inoue no uchi de)
Tomu: Kore wa dare desu ka? (shashin o mite iru)
Inoue: Kore wa ani desu.
　　　　Kore wa ani no okusan.
Tomu: Kore wa okaasan desu ka?
Inoue: Hai, soshite kore ga chichi desu.
Tomu: Yasashisou desu ne.
　　　　(pin-poon)
Inoue: Donata desu ka?
Otoko: Takkyuubin desu.

Family

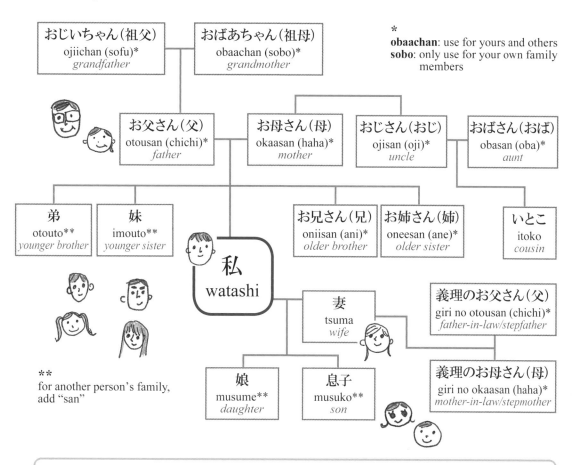

おじいちゃん（祖父）
ojiichan (sofu)*
grandfather

おばあちゃん（祖母）
obaachan (sobo)*
grandmother

*
obaachan: use for yours and others
sobo: only use for your own family members

お父さん（父）
otousan (chichi)*
father

お母さん（母）
okaasan (haha)*
mother

おじさん（おじ）
ojisan (oji)*
uncle

おばさん（おば）
obasan (oba)*
aunt

弟
otouto**
younger brother

妹
imouto**
younger sister

私
watashi

お兄さん（兄）
oniisan (ani)*
older brother

お姉さん（姉）
oneesan (ane)*
older sister

いとこ
itoko
cousin

**
for another person's family, add "san"

妻
tsuma
wife

義理のお父さん（父）
giri no otousan (chichi)*
father-in-law/stepfather

娘
musume**
daughter

息子
musuko**
son

義理のお母さん（母）
giri no okaasan (haha)*
mother-in-law/stepmother

Chapter 1

There are many ways to say "husband" and "wife." Part of the choice comes down to preference.

tsuma	*my wife* (formal)		otto	*my husband* (most formal)
kanai*	*my wife* (normal)		shujin*	*my husband* (formal)
yomesan	*my wife* (casual)		go-shujin*	*your husband* (formal)
okusama	*your wife* (formal)		danna	*my husband* (casual)
okusan*	*your wife* (normal)		danna-san	*your husband* (casual)
uchi no okusan	*my wife* (young people)			*common

Translation

(At Inoue's house)

Tom: Who is this? (looking at a picture)

Inoue: This is my brother. This is his wife.

Tom: Is this your mother?

Inoue: Yes, and this is my father.

Tom: They look kind.
(the doorbell rings)

Inoue: Yes, who are you?

Man: Delivery!

New words

☐ こちら this (formal)

☐ どなた who (formal)

☐ ともだち friend

☐ 写真 picture

☐ 奥さん wife

☐ やさしい kind

☐ 〜そう look/sound

☐ 宅急便 delivery

[subject]

あなた は なんさい ですか？
Anata   wa   nan sai   desu ka?

[question/noun]

僕 は ６さい です。
Boku   wa   roku sai   desu.

例 Ex.

なんさいですか？
Nan sai desu ka?   *How old are you?*

６さいです。
Roku sai desu.   *Six years old.*

Point!

- "Sai" means age. Add a number before "sai."
- Usually Japanese don't omit "sai."
- It is considered impolite to ask a woman her age in Japan, as in Western countries.

Dialogue

鈴木： 娘さんはなんさいですか？	**Suzuki:** Musume san wa nansai desuka?
ノール： ６さいです。	**Nooru:** Roku sai desu.
鈴木： 息子さんは？	**Suzuki:** Musuko san wa?
ノール： ４さいです。	**Nooru:** Yon sai desu.
鈴木： そうですか。かわいいですね。	**Suzuki:** Sou desuka. Kawaii desune.

Numbers 1–100

1	ichi	11	juu-ichi
2	ni	12	juu-ni
3	san	13	juu-san
4	shi/yon	14	juu-shi/yon
5	go	15	juu-go
6	roku	16	juu-roku
7	nana/shichi	17	juu-nana/shichi
8	hachi	18	juu-hachi
9	kyuu/ku	19	juu-kyuu/ku
10	juu	20	ni-juu

21	ni-juu-ichi
22	ni-juu-ni
23	ni-juu-san
24	ni-juu-shi/yon
25	ni-juu-go
26	ni-juu-roku
27	ni-juu-nana/shichi
28	ni-juu-hachi
29	ni-juu-kyuu/ku
30	san-juu

40	yon-juu
50	go-juu
60	roku-juu
70	nana-juu
80	hachi-juu
90	kyuu-juu
100	hyaku

Translation

Suzuki: How old is your daughter?
Noor: She is six years old.
Suzuki: How old is your son?
Noor: Four years old.
Suzuki: They are cute.

New words

☐ さい old/age
☐ かわいい cute

Whose bag is this?

[subject]   [question + "no" / noun + "no"]

これ Kore	は wa	だれの dare no	ペン pen	ですか？ desu ka?
それ Sore	は wa	わたしの watashi no	✕	です。 desu.
これ Kore	は wa	どこの doko no	車 kuruma	ですか？ desu ka?
それ Sore	は wa	トヨタの Toyota no	✕	です。 desu.

例 Ex.　これはどこの車ですか？
Kore wa doko no kuruma desu ka?　*Who makes this car?*

それはトヨタのです。
Sore wa Toyota no desu.　*It's a Toyota.*

Point!

● The particle "no" is used to indicate possession.
● "Doko no" has two meanings: Where from? / Which brand?

Dialogue

田中：すみません、これはどこのバッグですか？
店員：これは、イタリアのです。
田中：そうですか、どうも。
　　　（田中、ハンカチを落とす）
店員：これはお客様のですか？
田中：はい、わたしのです。ありがとうございます。

Tanaka: Sumimasen, kore wa doko no baggu desu ka?
Ten'in: Kore wa, Itaria no desu.
Tanaka: Sou desu ka, doumo.
　　　(Tanaka, hankachi o otosu)
Ten'in: Kore wa o-kyakusama no desu ka?
Tanaka: Hai, watashi no desu. Arigatou gozaimasu.

The "no" concept

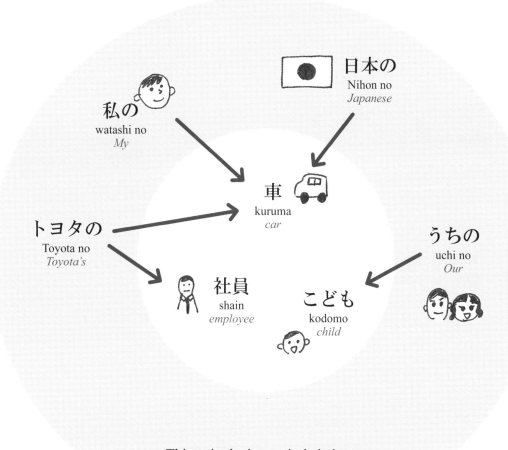

私の
watashi no
My

日本の
Nihon no
Japanese

車
kuruma
car

トヨタの
Toyota no
Toyota's

うちの
uchi no
Our

社員
shain
employee

こども
kodomo
child

Things in the inner circle belong to
the things in the outer circle.

Translation

Tanaka: Excuse me, where is this bag from?

Employee: This is made in Italy.

Tanaka: I see. Thanks.

(Tanaka drops her handkerchief.)

Employee: Is this yours?

Tanaka: Yes, it's mine. Thank you very much.

New words

☐ バッグ bag

☐ ハンカチ handkerchief

☐ お客様 customer/guest (formal)

[subject]		[question/location]	
駅 Eki	は wa	どこ doko	ですか？ desu ka?
トイレ Toire	は wa	あそこ asoko	です。 desu.

例 Ex.　駅はどこですか？
Eki wa doko desu ka?　*Where is the train station?*

あそこです。
Asoko desu.　*It is over there.*

Point!

- Put the name of place you want to know about at the beginning of the sentence.
- "Koko," "soko," "asoko" are used to express here, there and over there.

WOMEN'S ROOM?

Dialogue

クリスティーヌ：	すみません、ABCデパートはどこですか？
女の人：	駅のとなりですよ。
クリスティーヌ：	ありがとうございます。
	（デパートの中で）
クリスティーヌ：	すみません、トイレはどこですか？
店員：	あそこです。
クリスティーヌ：	ありがとうございます。

Kurisutiinu:	Sumimasen, ABC Depaato wa doko desu ka?
Onna no hito:	Eki no tonari desu yo.
Kurisutiinu:	Arigatou gozaimasu.
	（Depaato no naka de）
Kurisutiinu:	Sumimasen, toire wa doko desu ka?
Ten'in:	Asoko desu.
Kurisutiinu:	Arigatou gozaimasu.

Locations

駅のとなり
eki no tonari
next to

駅の近く
eki no chikaku
near

駅の前
eki no mae
in front of

駅の後ろ
eki no ushiro
behind

本屋
hon'ya
bookstore

郵便局
yuubinkyoku
post office

地下鉄
chikatetsu
subway

公園
kouen
park

お寺/神社
O-tera/jinja
temple/shrine

交番/警察
kouban/keisatsu
police box/station

例 Ex.
郵便局は本屋のとなりです。
Yuubinkyoku wa hon'ya no
 tonari desu.
*The post office is next to the
 book store.*

お寺は駅の近くです。
O-tera wa eki no chikaku desu.
The temple is near the station.

Translation

Christine:	Excuse me, where is the ABC Department Store?
Woman:	It is next to the station.
Christine:	Thank you.
	(in the department store)
Christine:	Excuse me, where is the bathroom?
Salesperson:	Over there.
Christine:	Thank you.

New words

- □ 駅   station
- □ どこ   where
- □ トイレ   bathroom
- □ あそこ   over there
- □ デパート   department
- □ となり   next

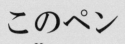

Lesson 9 — How much is this pen?

[subject]		[question / amount of yen]	
このペン Kono pen	は wa	いくら ikura	ですか？ desu ka?
そのペン Sono pen	は wa	100 円 hyaku en	です。 desu.
あのTシャツ Ano T-shatsu	は wa	1000 円 sen en	です。 desu.

例 Ex.　このペンはいくらですか？
Kono pen wa ikura desu ka?　*How much is this pen?*

100 円です
Hyaku en desu.　*It is 100 yen.*

Point!

- "Kono," "sono," "ano" are used before nouns, whereas the "kore" group are themselves nouns.

  Kore wa pen desu.　⟶　**Kono pen wa ~**
  This is a pen.　　⟶　*This pen is ~*

- "Dono" is used for questions.

  Dono pen desu ka?　⟶　*Which pen is it?*

- The symbol ¥ is pronounced "en" (*not yen*).

Dialogue

鈴木：すみません、この着物はいくらですか？
店員：55,000円です。
鈴木：う〜ん、これはいくらですか？
店員：これは35,000円。
鈴木：あれはいくらですか？
店員：あれは、もっと安いです。10,000円ですよ。

Suzuki: Sumimasen, kono kimono wa ikura desu ka?

Ten'in: Go-man go-sen en desu.

Suzuki: Uuun..., kore wa ikura desu ka?

Ten'in: Kore wa san-man go-sen en.

Suzuki: Are wa ikura desu ka?

Ten'in: Are wa motto yasui desu. Ichi-man en desu yo.

Numbers 200–30,000

200	ni-hyaku	900	kyuu-hyaku
300	san-byaku	1,000	sen
400	yon-hyaku	2,000	ni-sen
500	go-hyaku	3,000	san-zen
600	roppyaku	10,000	ichi-man
700	nana-hyaku	20,000	ni-man
800	happyaku	30,000	san-man

"man" is always "man"

3
san-byaku
san-zen

15,000	**23,000**	**3,800**	**340**
ichi-man go-sen	ni-man san-zen	san-zen happyaku	san-byaku yon-juu

298 ⟶ 200 + 90 + 8 ⟶ ni-hyaku kyuu-juu-hachi

税抜	税込	無料
zeinuki	zeikomi	muryou
excluding tax	*including tax*	*free*

Translation

Suzuki: Excuse me, how much is this kimono?

Salesperson: 55,000 yen.

Suzuki: Ummm…how much is this one?

Salesperson: This one is 35,000 yen.

Suzuki: How much is that one over there?

Salesperson: That one over there is cheaper. It's 10,000 yen.

New words

☐ いくら how much

☐ このペン this pen

☐ あのTシャツ that T-shirt

☐ 着物 kimono (Japanese traditional clothing)

☐ う〜ん Ummm....

☐ もっと安い cheaper

Chapter 1

Lesson 10 | What time is ～ ?

[subject]		[question/number]	
次のバス Tsugi no bus	は wa	何 nan	時ですか？ ji desu ka?
いま Ima	× ×	5 go	時です。 ji desu.

例 Ex.

いま、何時ですか？
Ima, nan-ji desu ka?   *What time is it now?*

5時です。
Go-ji desu.   *5 o'clock.*

Point!

- No particle is needed after "ima" in the above sentence.
- You can't omit "ji" or "fun."

  2:20 ⟶ ni-ji ni-juppun

- The English o'clock is "ji"; hour/hours are "jikan." Minutes are marked by "fun/pun" (which one used depends on the number). (see the next page)

Dialogue

ジョン：すみません、次の快速は何時ですか？
駅員：　次の快速は、10時半です。
ジョン：半？
駅員：　さんじゅっぷん。10時30分。
ジョン：ああ、わかりました。大阪まで何時間かかりますか？
駅員：　1時間です。
ジョン：わかりました。どうも。

Jon:	Sumimasen, tsugi no kaisoku wa nan-ji desu ka?
Ekiin:	Tsugi no kaisoku wa juu-ji han desu.
Jon:	Han?
Ekiin:	San-juppun. Juu-ji san-juppun.
Jon:	Aa, wakarimashita. Oosaka made nan-jikan kakarimasu ka?
Ekiin:	Ichi-jikan desu.
Jon:	Wakarimashita. Doumo.

Time

何時？ Nan-ji? *What hour?*

1時 ichi-ji	2時 ni-ji	3時 san-ji	4時 *yo-ji	5時 go-ji	6時 roku-ji
7時 *shichi-ji	8時 hachi-ji	9時 *ku-ji	10時 juu-ji	11時 juu-ichi-ji	12時 juu-ni-ji

何分？ Nan-pun? *What minute?*

1分 **ippun	2分 ni-fun	3分 **san-pun	4分 yon-fun	5分 go-fun
6分 **roppun	7分 *nana-fun	8分 **happun	9分 kyuu-fun	10分 **juppun

*   4— yon → yo
     9— kyuu → ku
     7— nana is not used for hours but used for minutes
**   The suffix that follows the numbers 1, 6, 8 and 10 is always -ppun, while 3 takes the suffix -pun.

- To make pronunciation easier, the suffix changes form depending on the preceding number. But don't worry! Even if you say the wrong suffix form, natives will understand you.
- 30 minutes is "san-juppun," but use "han" (half) instead when telling time.

     1時半 ⟶ **ichi-ji-han** *one-thirty*

- The Japanese language doesn't have an equivalent for the English *quarter* (as in *quarter past one*.) Just say "juu-go-fun" instead.

Translation

John:	Excuse me, what time is the next express?
Station worker:	The next express is at half past ten.
John:	Half?
Station worker:	Thirty minutes. 10:30.
John:	Oh, I see. How long does it take to get to Osaka?
Station worker:	One hour.
John:	I understand, thanks.

New words

- ☐ 次の next
- ☐ バス bus
- ☐ 時 time/o'clock
- ☐ いま now
- ☐ 快速 express
- ☐ まで to/until
- ☐ かかります to take

What time does it start/end?

[subject] [question/number + "ji"] [question/number]

ランチ	は	何時	から	何時	までですか？
Ranchi	wa	nan-ji	kara	nan-ji	made desu ka?

ライブ	は	6時	から	9時	までです。
Raibu	wa	roku-ji	kara	ku-ji	made desu.

[例 Ex.] ライブは何時から何時までですか？

Raibu wa nan-ji kara nan-ji made desu ka?

What time does the live show start and finish at?

6時から9時までです。

Roku-ji kara ku-ji made desu.　　*From 6 to 9.*

Point!

- This sentence is used for asking about the opening and closing time of a store or restaurant.

  Nan-ji kara desu ka?　　⟶　*What time do you open?*

  Nan-ji made desu ka?　　⟶　*What time do you close?*

- "Kara" and "made" are used not only for time, but also for distance.

  Toukyou kara Oosaka made　⟶　*From Tokyo to Osaka*

Dialogue

ウェイトレス：	お電話ありがとうございます。小川屋でございます。	**Weitoresu:**	O-denwa arigatou gozaimasu. Ogawa-ya de gozaimasu.
鈴木：	すみません、そちらは何時からですか？	**Suzuki:**	Sumimasen, sochira wa nan-ji kara desu ka?
ウェイトレス：	朝10時からです。	**Weitoresu:**	Asa juu-ji kara desu.
鈴木：	夜は何時からですか？	**Suzuki:**	Yoru wa nan-ji kara desu ka?
ウェイトレス：	夜は5時からです。ラストオーダーは10時半です。	**Weitoresu:**	Yoru wa go-ji kara desu. Rasuto oodaa wa juu-ji-han desu.
鈴木：	じゃ、5時に予約をお願いします。	**Suzuki:**	Ja, go-ji ni yoyaku o onegaishimasu.
ウェイトレス：	はい、かしこまりました。	**Weitoresu:**	Hai, kashikomarimashita.

Honorific

* Salespeople and waiters use honorific speech when talking to customers.

● "o-" or "go-" is attached to the front of the noun to show politeness.

["o" + noun]

お電話	お水	お箸	お名前	お会計	お客様
o-denwa	o-mizu	o-hashi	o-namae	o-kaikei	o-kyakusama
telephone	*water*	*chopsticks*	*name*	*check*	*customer*

["go" + noun]

ご予約	ご案内	ご一緒
go-yoyaku	go-annai	go-issho
reservation	*guide*	*together*

● Verbs change into their polite form.

です　→　でございます　　　　わかりました　→　かしこまりました

desu　→　**de gozai masu**　　　**wakari mashita**　→　**kashikomarimashita**

How to make a reservation

お時間は？
O-jikan wa?
What time?

何名様ですか？
Nanmei-sama desu ka?
How many in your party?

おたばこは？
O-tabako wa?
Smoking or non-smoking?

夜7時にお願いします。
Yoru shichi-ji ni onegaishimasu.
Seven in the evening, please.

3人*です。大人2人と子ども1人です。
Sannin desu. Otona futari to kodomo hitori desu.
Three. Two adults and one child.

禁煙席お願いします。
Kin'en seki onegai shimasu.
Non-smoking, please.

* Counters for people:

1人	2人	3人	4人 ……
hitori	futari	sannin	yonin …

The suffix "-nin" is used from three people onward.

Translation

Waitress: Thank you for calling Ogawa-ya.

Suzuki: Excuse me, what time do you open?

Waitress: Ten in the morning.

Suzuki: How about your evening hours?

Waitress: Dinner starts at five. We take our last orders at 10:30.

Suzuki: Then, I would like to make a reservation at 5.

Waitress: OK, no problem.

New words

☐ ランチ lunch
☐ ライブ live show
☐ 電話する call
☐ 予約 reservation

Lesson 12 — Do you like sushi?

[subject]		[object]		[adjective]	
小林さん Kobayashi-san	は wa	（お）すし (o-)sushi	が ga	好き suki	ですか？ desu ka?
息子 Musuko	は wa	アニメ anime	が ga	大好き daisuki	です。 desu.
娘 Musume	は wa	スポーツ supootsu	が ga	好き suki	じゃないです。 janai desu.

例 Ex. 小林さんはおすしが好きですか？

Kobayashi-san wa o-sushi ga suki desu ka?

Do you like sushi, Mr. Kobayashi?

はい、好きです。/ いいえ、好きじゃないです。

Hai, suki desu. / Iie, suki janai desu.

Yes, I do. / No, I don't.

Point!

- The "-na" adjective "suki" serves a function similar to a predicate adjective, so it is followed by "desu" rather than "masu."
- Sometimes "dewa/ja arimasen" is used instead of "janai desu" in formal situations.

Dialogue

木村：	日本はどうですか？	**Kimura:**	Nihon wa dou desu ka?
イヴァン：	大好きです。料理がおいしいし、楽しいです。	**Ivan:**	Daisuki desu. Ryouri ga oishii shi, tanoshii desu.
木村：	よかったです。	**Kimura:**	Yokatta desu.
イヴァン：	それと、僕は日本のアニメが大好きです。	**Ivan:**	Soreto, boku wa nihon no anime ga daisuki desu.
木村：	私もアニメ、好きですよ。	**Kimura:**	Watashi mo anime suki desu yo.

Hobbies

音楽 ongaku *music*	映画 eiga *movies*	本 hon *books*	スポーツ spootsu *sports*	その他 sonota *other*
ロック rokku *rock*	アクション akushon *action*	ミステリー misuterii *mystery*	サッカー sakkaa *soccer*	ビデオ・ゲーム bideo geemu *video games*
ポップ poppu *pop*	コメディ comedi *comedy*	ホラー horaa *horror*	野球 yakyuu *baseball*	旅行 ryokou *travel*
クラシック kurashikku *classical*	ラブロマンス rabu romansu *love romance*	小説 shousetsu *novel*	テニス tenisu *tennis*	車 kuruma *cars*
フォーク fooku *folk*	ドラマ dorama *drama*	ファンタジー fantajii *fantasy*	ランニング ranningu *running*	料理 ryouri *cooking*
ヒップポップ hippuhoppu *hip-pop*	SF esuefu *sci-fi*	ノンフィクション nonfikushon *nonfiction*	水泳 suiei *swimming*	ガーデニング gaadeningu *gardening*
ジャズ jazu *jazz*	時代劇 jidaigeki *historical*	歴史 rekishi *history*	登山 tozan *trekking/hiking*	パソコン pasokon *computers*

Translation

Kimura: How is Japan?

Ivan: I love it. It's a lot of fun, and the food is delicious.

Kimura: I'm glad to hear that.

Ivan: Plus, I really love Japanese anime.

Kimura: I like anime too.

New words

- [ ] 好き・大好き like/love
- [ ] 息子 son
- [ ] 娘 daughter
- [ ] アニメ Japanese animation
- [ ] スポーツ sports
- [ ] どう・どうですか how/how is it
- [ ] たのしい fun

Lesson 13 | Hokkaido is cold.

[noun]

		[adjective]	
北海道 Hokkaidou	は wa	寒い samui	ですか？ desu ka?
沖縄 Okinawa	は wa	寒くない samukunai	です。 desu.
地下鉄 Chikatetsu	は wa	便利 benri	じゃないです。 janai desu.

例 Ex.　北海道は寒いですか？
Hokkaidou wa samui desu ka?　*Is Hokkaido cold?*

はい、寒いです。
Hai, samui desu.　*Yes, it is cold.*

Point!

- Don't use "sou desu" to respond to questions containing adjectives. Simply repeat the adjective in your answer.
- There are two types of adjectives: *i-adjectives* and *na-adjectives*. (see next page)
- For making negative sentences, change the final "i" of i-adjectives into "kunai."

  寒い　⟶　寒くない
  samui　⟶　**samukunai**

- Adjectives require "janai":

  便利　⟶　便利じゃない
  benri　⟶　**benri janai**

* "Ii" (good) is an exception: the negative of "ii" is "yokunai" (not good).

Dialogue

イザベル：	今日は暑いですね。	**Izaberu:**	Kyou wa atsui desu ne.
小林：	ええ、東京の夏はむし暑いですね。 フランスはどうですか。	**Kobayashi:**	Ee, Toukyou no natsu wa mushiatsui desu ne. Furansu wa dou desu ka?
イザベル：	もっとすずしいです。	**Izaberu:**	Motto suzushii desu.
小林：	ああ、そうですか。いいなあ～。	**Kobayashi:**	Aa, sou desu ka. Ii naa…

Adjectives

i-adjectives

They don't change before nouns. ⟶ ookii uchi *(big house)*

大きい
ookii
big

小さい
chiisai
small

暑い
atsui
hot(air)

寒い
samui
cold

新しい
atarashii
new

古い
furui
old

近い
chikai
close

遠い
tooi
far

いい
ii
good

悪い
warui
bad

難しい
muzukashii
difficult

すごい
sugoi
great/cool

na-adjectives

Na-adjectives require "na" between themselves and the nouns they modify.

⟶ suteki na uchi *(wonderful house)*

素敵
suteki
wonderful

伝統的
dentouteki
traditional

便利
benri
convenient

不便
fuben
inconvenient

きれい
kirei
beautiful/clean

かんたん
kantan
easy

静か
shizuka
quiet

にぎやか
nigiyaka
lively

Translation

Isabelle: Today is hot, isn't it?

Kobayashi: Yeah... summer in Tokyo is hot and humid. How is France?

Isabelle: It is cooler.

Kobayashi: Oh, is it? That is good.

New words

- ☐ 地下鉄 subway
- ☐ 寒い cold
- ☐ 寒くない not cold
- ☐ 便利 convenient
- ☐ 今日 today
- ☐ むし暑い humid and hot
- ☐ すずしい cool
- ☐ いいなあ That's good.

You are cute.

[noun]

あなた	は
Anata	wa
鈴木さん	は
Suzuki-san	wa
この映画	は
Kono eiga	wa

[adjective]

かわいい	です。
kawaii	desu.
かっこよくない	です。
kakkoyokunai	desu.
有名	じゃないです。
yuumei	janai desu.

例 Ex.　あなたは、かわいいですね。
　　　Anata wa kawaii desu ne.　*You are cute.*

　　　いえ、いえ、そんな……。
　　　Ie, ie, sonna…　*No, no, not really…*

Point!

- "Kawaii" (cute) and "kowai" (scary) sound similar. Be careful.
- The negative of "kakkoii" (looking good) is "kakkoyokunai." It changes in the same way as "ii." (see the previous page)

Dialogue

ダビデ：みきさんは、どんな人が好きですか？	**Dabide:** Miki-san wa donna hito ga suki desu ka?
みき：　ちょっと不思議な人が好きかなあ。	**Miki:** Chotto fushigi na hito ga suki ka naa.
ダビデ：不思議な人？？	**Dabide:** Fushigi na hito??
みき：　そうそう。ダビデ君は？	**Miki:** Sou sou. Dabide-kun wa?
ダビデ　僕は、やさしい人がいいです。みきさんみたいな……。	**Dabide:** Boku wa, yasashii hito ga ii desu. Miki-san mitai na...

Adjectives

i-adjectives

かわいい
kawaii
cute

こわい
kowai
scary

やさしい
yasashii
kind

強い
tsuyoi
strong

弱い
yowai
weak

楽しい
tanoshii
fun

うれしい
ureshii
happy

悲しい
kanashii
sad

つまらない
tsumaranai
boring

うっとうしい
uttoushii
annoying

na-adjectives

親切
shinsetsu
kind

真面目
majime
serious

乱暴
ranbou
rough

嫌
iya
disagreeable

変
hen
strange

ひま
hima
not busy

ていねい
teinei
polite

失礼
shitsurei
rude

Translation

Davide: What kind of people do you like, Miki?

Miki: I guess I like people who are a little mysterious.

Davide: Mysterious??

Miki: Yeah. How about you, Davide?

Davide: I like people who are kind. Like you…

New words

- ☐ かっこよくない not cool
- ☐ 有名 famous
- ☐ どんな what type
- ☐ 不思議な mysterious
- ☐ ～かなあ maybe/I guess
- ☐ ちょっと a little
- ☐ そうそう yeah
- ☐ ～みたいな like

Lesson 15 · How was your trip?

[noun]   [question/adjective past]

旅行	は	どう	でしたか？
Ryokou	wa	dou	deshitaka?
飲み会	は	楽しかった	です。
Nomikai	wa	tanoshikatta	desu.
沖縄	は	きれい	でした。
Okinawa	wa	kirei	deshita.

例 Ex.　旅行はどうでしたか？
Ryokou wa dou deshita ka?　*How was the trip?*

楽しかったです。
Tanoshikatta desu.　*It was fun.*

Point!

- i-adjectives (p. 51) change into "〜katta" for past tense.
  Ookii desu. ⟶ **Ookikatta desu.**　*It was big.*

- na-adjectives don't change. Just add "deshita."
  Shizuka desu. ⟶ **Shizuka deshita.**　*It was quiet.*

Dialogue

マルタ：シンガポールはどうでしたか？

木村：よかったですよ。夜景がきれいでした。暑かったですけど。

マルタ：そうですか。

木村：それと、食べ物がおいしかったです。

マルタ：へえ、いいですね。何がおいしかったですか？

木村：全部！

Maruta: Shingapooru wa dou deshita ka?

kimura: Yokatta desu yo. Yakei ga kirei deshita. Atsukatta desu kedo.

Maruta: Sou desu ka.

Kimura: Soreto, tabemono ga oishikatta desu.

Maruta: Hee, ii desu ne. Nani ga oishikatta desu ka?

Kimura: Zenbu!

Past-affirmative and past-negative

i-adjectives

	positive	negative
楽しい tanoshii *fun*	楽しかったです tanoshikatta desu	楽しくなかったです tanoshikunakatta desu
大きい ookii *big*	大きかったです ookikatta desu	大きくなかったです ookikunakatta desu
高い takai *expensive*	高かったです takakatta desu	高くなかったです takakunakatta desu

na-adjectives

	positive	negative
しずか shizuka *quiet*	しずかでした shizuka deshita	しずかじゃなかったです shizuka janakatta desu
きれい kirei *clean/pretty*	きれいでした kirei deshita	きれいじゃなかったです kirei janakatta desu
ひま hima *not busy*	ひまでした hima deshita	ひまじゃなかったです hima janakatta desu

Translation

Marta: How was Singapore?

Kimura: It was good. The night view was beautiful. It was hot though.

Marta: I see…

Kimura: And, the food was delicious.

Marta: Wow, that is good. What food was delicious?

Kimura: All of it!

New words

- ☐ 旅行 trip
- ☐ 飲み会 drinking party
- ☐ 夜景 night view
- ☐ ～だけど though
- ☐ 全部 all

Chapter 2
Verbs

第 2 章　動詞

Verbs in sentences

1. I will eat a banana.

⟶ I banana will eat.

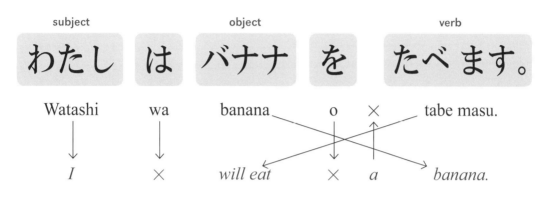

subject		object		verb
わたし	は	バナナ	を	たべ ます。
Watashi	wa	banana	o ✕	tabe masu.
I	✕	will eat	✕ a	banana.

- Japanese —S + O + V   English —S + V + O
- In Japanese, we put the particle "o" after the object of the sentence but it is often omitted in conversation. Also, Japanese people omit subject, thus the sentence becomes O + V "Banana tabemasu."

2. Will you eat a banana?

あなた	は	バナナ	を	たべ ます	か?
Anata	wa	banana	o	tabe masu	ka?*

*This "ka" is a question marker.

- When asking a question in Japanese, the sentence order doesn't change.
- Usually, Japanese don't use "anata" (you). Instead of saying "anata," people are referred to by their names because it is more polite. If you don't know the other person's name, you can omit the subject. "Banana tabemasu ka?"

Do you understand?

[subject] あなた は [object] 日本語 が [verb] わかり ますか？
Anata wa Nihongo ga wakari masu ka?

私 は 英語 が わかり ません。
Watashi wa Eigo ga wakari masen.

例 Ex.　日本語がわかりますか？
Nihongo ga wakarimasu ka?　*Do you understand Japanese?*

いいえ、わかりません。
Iie, wakarimasen.　*No, I don't.*

Point!

● Adverbs such as "sukoshi" (a little) come before the object or verb.

Sukoshi nihongo ga wakarimasu.　*I understand a little Japanese.*

Nihongo ga sukoshi wakarimasu.　*I understand Japanese a little.*

As in English, these sentences have an identical meaning.

Dialogue

〈郵便局で〉

ハビエ：こんにちは。これ…（小切手をみせて）

局員：　こんにちは。えー、日本語わかりますか？

ハビエ：はい、すこしわかります。

局員：　こちらをですね〈ペラペラと話す〉わかりますか？

ハビエ：すみません。わかりません…ゆっくりおねがいします。

局員：　あ、はい。

Habie:　Konnichiwa. kore... (kogitte o misete)

Kyokuin:　Konnichiwa. Ee, Nihongo wakarimasu ka?

Habie:　Hai, sukoshi wakarimasu.

Kyokuin:　Kochira o desu ne... (perapera to hanasu) Wakarimasu ka?

Habie:　Sumimasen. Wakarimasen...yukkuri onegaishimasu.

Kyokuin:　A, hai.

Adverbs

100 % ← → 0 %

| よく
yoku
well | まあまあ
maamaa
sort of | すこし
sukoshi
a little | あまり/あんまり
amari/anmari
not well | ぜんぜん
zenzen
not at all |

* *zenzen* is sometimes used as "no problem." ぜんぜんいい。

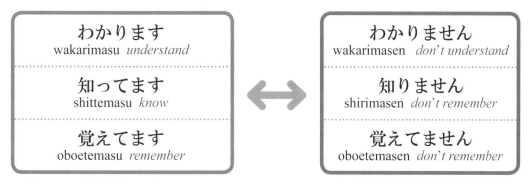

わかります wakarimasu *understand*	わかりません wakarimasen *don't understand*
知ってます shittemasu *know*	知りません shirimasen *don't remember*
覚えてます oboetemasu *remember*	覚えてません oboetemasen *don't remember*

* For "shittemasu" "oboetemasu" and "oboetemasen," te-form is used. (See p.76)

例 Ex.　全然わかりません。Zenzen wakari masen. *I don't understand at all.*

　　　よく知ってます。Yoku shitte masu. *I know well.*

　　　あまり覚えてません。Amari oboete masen. *I don't remember well.*

[Other adverbs + onomatopoeia]

ゆっくり　yukkuri　*slowly*

　　ゆっくりお願いします。　Yukkuri onegai shimasu.　*Slowly, please.*

ペラペラ　perapera　*fluently*

　　日本語ペラペラですね。　Nihongo perapera desu ne.　*You speak Japanese fluently.*

Translation

\<at the post office>

Javier:　Hello. This is... (showing his check)

Employee: Hello. Um…do you understand Japanese?

Javier:　Yes, I understand a little.

Employee: This is... \<blah blah blah> (speaking quickly). Do you understand?

Javier:　I'm sorry. I don't understand... slowly, please.

Employee: Oh, of course.

New words

☐ 日本語 Japanese

☐ 英語 English

☐ わかります I understand

☐ わかりません I don't understand

☐ 小切手 check

☐ すこし a little

☐ ゆっくり slowly

Chapter 2

Is there an ATM at the station?

[place]		[object]		[verb]	
駅 Eki	に ni	ATM ATM	が ga	あり ari	ますか？ masu ka?
この店 Kono mise	に ni	子ども服 kodomo-fuku	は wa	あり ari	ません。 masen.
ここ Koko	に ni	黒 kuro	は wa	ない nai	です。 desu.

例 Ex. 駅にATMがありますか？

Eki ni ATM ga arimasu ka?   *Is there an ATM at the station?*

はい、あります。/ いいえ、ありません(ないです)。

Hai, arimasu. / Iie, arimasen (naidesu).

Yes, there is. / No, there is not.

Point!

- These phrases are equivalent to *there is/are*, but they are also used to express *have*.
- "Nai desu" is commonly used instead of "arimasen."

Dialogue

店員：	いらっしゃいませ。	Ten'in:	Irasshaimase.
ジョン：	あ、すみません、このシャツの黒、ありますか？	Jon:	A, sumimasen, kono shatsu no kuro arimasu ka?
店員：	すみません、黒はないです。青はありますが……。	Ten'in:	Sumimasen, kuro wa nai desu. Ao wa arimasuga...
ジョン：	そうですか。じゃ、それお願いします。	Jon:	Sou desu ka. Ja, sore onegai shimasu.
店員：	かしこまりました。サイズはLLでいいですか？	Ten'in:	Kashikomarimashita. Saizu wa LL de ii desu ka?
ジョン：	はい、いいです。すみません、大きいふくろありますか？	Jon:	Hai, ii desu. Sumimasen, ookii fukuro arimasu ka?
店員：	はい、どうぞ。	Ten'in:	Hai, douzo.

Colors

赤 aka *red*	青 ao *blue*	黒 kuro *black*	白 shiro *white*	黄色 kiiro *yellow*
茶色 chairo *brown*	緑 midori *green*	ピンク pinku *pink*	グレー guree *gray*	オレンジ orenji *orange*

Most Japanese know the English words for colors, so just say the English equivalent slowly if you happen to forget the Japanese word.

● When colors are used as adjectives before nouns, "i" is added.

⟶ 赤いTシャツ　aka i T-shatsu

● For some colors, "no" is added instead of "i."　⟶ 緑のTシャツ　midori no T-shatsu

Size

<Outerwear>

Japan	SS (5)	S (7)	M (9)	L (11–13)	LL (15–19)	3L (21–23)	4L (25–27)
International	XS (36)	S (38)	M (40)	L (42)	XL (44)	XXL (46)	

<Women's Shoes>

Japan	22	23	24	25	25.5	26	27	28	29
Europe	36	37	38	39-40	40	43	44	45	46
Inches	9				10				11

Translation

Salesperson: Hello, may I help you?

John: Ah, excuse me, do you have this shirt in black?

Salesperson: I'm sorry, we don't. We have it in blue.

John: Okay, I will take that.

Salesperson: No problem. Is LL size OK?

John: Yes, that's fine. Do you have a large bag?

Salesperson: Yes, here you are.

New words

☐ 子ども服　kids clothes

☐ いらっしゃいませ　Hello, may I help you?

☐ シャツ　shirt

☐ 黒　black

☐ サイズ　size

☐ ふくろ　bag

☐ どうぞ　here you are

Where are you going?

[subject]		[place]		[verb]	
あなた Anata	は wa	どこ doko	に ni	行き iki	ますか？ masu ka?
鈴木さん Suzuki-san	は wa	お祭り o-matsuri	に ni	行き iki	ません。 masen.
マリーさん Marii-san	も mo	カラオケ karaoke	に ni	行き iki	ませんか？ masen ka?

例 Ex.　どこに行きますか？
Doko ni ikimasu ka?　*Where are you going?*

東京に行きます。
Toukyou ni ikimasu.　*I'm going to Tokyo.*

Point!

- "Masu" is used for present and future tense.
- The particle "ni" or "e" is used after locations, similar to the English preposition *to*. Also, "de" is used after locations to convey the meaning *in* or *at*.

    Toukyou de ⟶ *in Tokyo*
    uchi de ⟶ *at home*

- "Ikimasen ka" indicates a negative question, but it is also used for invitations.
- The English equivalent is "*Why don't we go to～?*" or "*Would you like to go to～?*"

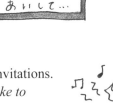

Dialogue

青木：　マイクさん、週末どこか行きますか？
マイク：いいえ、どこも。青木さんは？
青木：　友達とカラオケに行きますよ。
マイク：カラオケですか、いいですね
青木：　マイクさんもいかがですか？
マイク：はい、ぜひ！

Aoki:　Maiku-san, shuumatsu dokoka ikimasu ka?
Maiku:　Iie, dokomo. Aoki-san wa?
Aoki:　Tomodachi to karaoke ni ikimasu yo.
Maiku:　Karaoke desu ka. Ii desu ne.
Aoki:　Maiku-san mo ikagadesuka?
Maiku:　Hai, zehi!

Map of Japan

札幌
Sapporo

日本海
Nihonkai
Sea of Japan

金沢
Kanazawa

青森
Aomori

仙台
Sendai

広島
Hiroshima

京都
Kyoto

日光
Nikko

福岡
Fukuoka

東京
Tokyo

富士山
Fujisan

大分
Oita

高知
Kochi

大阪
Osaka

奈良
Nara

名古屋
Nagoya

Translation

Aoki: Mike, will you go anywhere this weekend?

Mike: No, nowhere. How about you, Aoki?

Aoki: I'm going to go to karaoke with one of my friends.

Mike: Karaoke? Sounds nice.

Aoki: Would you like to go with us, Mike?

Mike: Sure, I'd love to!

New words

☐ 行きます will go

☐ お祭り festival

☐ 週末 weekend

☐ どこかの anywhere

☐ どこも nowhere

☐ ～と with

☐ いかがですか Would you like to~

☐ ぜひ I would love to

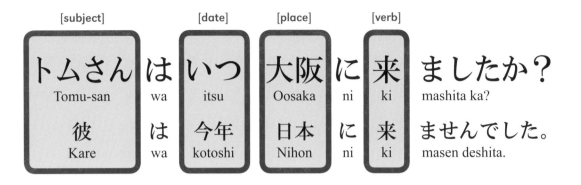

[subject]　[date]　[place]　[verb]

トムさん は いつ 大阪 に 来 ましたか？
Tomu-san　wa　itsu　Oosaka　ni　ki　mashita ka?

彼 は 今年 日本 に 来 ませんでした。
Kare　wa　kotoshi　Nihon　ni　ki　masen deshita.

例 Ex.　いつ大阪に来ましたか？
Itsu Oosaka ni kimashita ka?　*When did you come to Osaka?*

今年、来ました。
Kotoshi kimashita.　*I came here this year.*

┌ **Point!** ┐

- "Mashita" is the past tense form of "masu" with "deshita" used to indicate past negative tense.
- Verbs always come at the end of a sentence, but times and places are interchangeable.

　　いつ 大阪に　　**itsu Oosaka ni**
　　大阪に いつ　　**Oosaka ni itsu**

Dialogue

ガブリエル：いつ日本に来ましたか

ビタリー：　2001年です。最初に東京に来ました。それから、2012年に名古屋に来ました。

ガブリエル：そうですか。僕は去年の12月に来ました。はじめてです。

ビタリー：　はじめて？日本語が上手ですね。

ガブリエル：いえいえ、まだまだですよ。

Gaburieru: Itsu Nihon ni kimashita ka?

Bitarii: Ni-sen-ichi-nen desu. Saisho ni Toukyou ni kimashita. Sorekara, ni-sen-juu-ni-nen ni Nagoya ni kimashita.

Gaburieru: Soudesuka. Boku wa kyonen no juu-ni-gatsu ni kimashita. Hajimete desu.

Bitarii: Hajimete? Nihongo ga jouzu desu ne.

Gaburieru: Ieie, madamada desu yo.

Year / Month / Date / Day

year	month	date	day
2016年	7月	11日	月曜日
ni-sen-juu-roku nen	shichi gatsu	juu-ichi nichi	getsu-youbi

Mon	Tue	Wed	Thu	Fri	Sat	Sun	
月	火	水	木	金	土	日	ようび
getsu	ka	sui	moku	kin	do	nichi	youbi

なんようびですか？　Nan youbi desu ka?　*What day of the week is it?*

げつようびです。　　Getsu-youbi desu.　*It's Monday.*

昨日	今日	明日	毎日	1日
kinou	kyou	ashita	mainichi	ichinichi
yesterday	*today*	*tomorrow*	*every day*	*one day*
先週	今週	来週	毎週	1週間
senshuu	konshuu	raishuu	maishuu	isshuukan
last week	*this week*	*next week*	*every week*	*one week*
先月	今月	来月	毎月	1か月
sengetsu	kongetsu	raigetsu	maitsuki	ikkagetsu
last month	*this month*	*next month*	*every month*	*one month*
去年	今年	来年	毎年	1年(間)
kyonen	kotoshi	rainen	maitoshi	ichinen(kan)
last year	*this year*	*next year*	*every year*	*one year*

Translation

Gabriel: When did you come to Japan?

Vitaliy: 2001. First, I went to Tokyo. And then, I came to Nagoya in 2012.

Gabriel: Really? I came to Japan last December. This is my first time.

Vitaliy: First time? Your Japanese is good!

Gabriel: No, I still have a long way to go.

New words

□ 来ました came

□ いつ when

□ 最初に first

□ それから and then

□ はじめて the first time

□ まだまだ still a long way

Lesson 20 — Do you ～ ? / Will you ～ ?

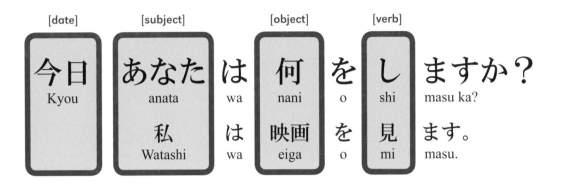

[date]	[subject]		[object]		[verb]	
今日 Kyou	あなた anata	は wa	何 nani	を o	し shi	ますか？ masu ka?
	私 Watashi	は wa	映画 eiga	を o	見 mi	ます。 masu.

例 Ex.　今日、何をしますか？
Kyou, nani o shimasu ka?　*What are you going to do today?*

映画を見ます。
Eiga o mimasu.　*I'm going to see a movie.*

Point!

- The particle "を" (pronounced "o") is used after the object of a sentence, but it is often omitted. In particular, it is sometimes not used with "shimasu" verbs.
- "Shimasu" means *do*, but it is quite often combined with a noun to create a verb.

  shigoto shimasu　　　　*I work.*
  benkyou shimasu　　　　*I study.*
  ryouri shimasu　　　　*I cook.*

- Also, "shimasu" is used as "play":

  gorufu shimasu　　　　*I play golf.*

Dialogue

林：　週末はいつも何をしますか？

アン：　たいてい公園を散歩しますよ。林君は？

林：　毎週オンラインゲームをします。でも、今週はしません。友だちと映画を見ます。

アン：　なんの映画を見ますか？

林：　アクション映画です。

Rin:　Shuumatsu wa itsumo nani o shimasu ka?

An:　Taitei kouen o sanpo shimasu yo. Rin-kun wa?

Rin:　Maishuu onrain geemu o shimasu. Demo, konshuu wa shimasen. Tomodachi to eiga o mimasu.

An:　Nan no eiga o mimasu ka?

Rin:　Akushon eiga desu.

68

Verbs—masu-form

Group 1

Affirmative	Negative	Example
読みます yomimasu *read*	読みません yomimasen	Nihonjin wa yoku manga o yomimasu. *Japanese people read manga a lot.*
飲みます nomimasu *drink*	飲みません nomimasen	Zenzen o-sake o nomimasen. *I don't drink alcohol at all.*
書きます kakimasu *write*	書きません kakimasen	Kyou, repooto o kakimasu. *I'm going to write my report today.*
聞きます kikimasu *hear, ask*	聞きません kikimasen	Yoku Amerika no ongaku o kikimasu. *I often listen to American music.*
買います kaimasu *buy*	買いません kaimasen	Ashita fuku o kaimasu. *I'm going to buy some clothes tomorrow.*
歌います utaimasu *sing*	歌いません utaimasen	Karaoke de uta o utaimasen. *I don't sing at karaoke bars.*

Group 2

食べます tabemasu *eat*	食べません tabemasen	Nama no sakana wa tabemasen. *I don't eat raw fish.*
起きます okimasu *wake*	起きません okimasen	Maiasa roku-ji ni okimasu. *I wake up at six every morning.*

Group 3

します shimasu *do, play*	しません shimasen	Konshuu wa kanji no renshuu o shimasen. *I won't practice kanji this week.*
来ます kimasu *come*	来ません kimasen	Ashita, tomodachi ga uchi ni kimasu. *My friend will come over tomorrow.*

Translation

Lin: What do you usually do on weekends?

Ann: Usually I go for a walk in the park. What do you do, Lin?

Lin: I usually play online games. But not this week. I'm going to watch a movie with my friend.

Ann: What movie are you going to watch?

Lin: It's an action movie.

New words

- □ いつも usually/always
- □ たいてい usually
- □ 散歩します go for a walk
- □ 毎週 every week

Lesson 21 — Would you like to ～ ? Shall I ～ ?

[subject]	[object]		[verb]	
✕	映画館 Eigakan	に ni	行き iki	ませんか？ masen ka?
	映画 Eiga	を o	見 mi	ましょうか？ mashou ka?
	チケット Chiketto	を o	買い kai	ましょうか？ mashou ka?

例 Ex. 映画館に行きませんか？
Eigakan ni ikimasen ka?   *Would you like to go to the movie theater?*

はい、映画を見ましょう。
Hai, eiga o mimashou.   *Sure, let's watch a movie!*

チケットを買いましょうか？
Chiketto o kaimashou ka?   *Would you like me to buy tickets?*

Point!

- "-masen ka" indicates a negative question, but it is also used for inviting someone to do something. The English equivalent is "*Why don't we go to～?*" or "*Would you like to go to～?*"
- "-mashou" is used for suggestions or offering to do something. The English equivalent is "*Let's～*" or "*Shall I～?*"

Dialogue

（飲み会で）

ゆり：　最初になにか飲みましょうか？

マリオ：はい、じゃ、ワインをお願いします。
　　　　一緒に飲みませんか？

ゆり：　私はお酒を飲みませんので、ウーロン茶をいただきます。

みんな：かんぱーい！

　　　　（2時間後）

ゆり：　マリオさん、だいじょうぶですか？
　　　　タクシーをよびましょうか？

（nomikai de）

Yuri:　Saisho ni nanika nomimashou ka?

Mario: Hai, ja, wain o onegai shimasu. Issho ni nomimasen ka?

Yuri:　Watashi wa o-sake o nomimasen node, uuroncha o itadakimasu.

Minna: Kanpaai!

　　　　(ni-jikan go)

Yuri:　Mario-san, daijoubu desu ka? Takushii o yobimashou ka?

ませんか？　masenka?　*Would you like ~ ?*

週末、一緒に花火を見ませんか？
Shuumatsu, ishho ni hanabi o mimasen ka?
Would you like to watch the fireworks together this weekend?

よかったら、家に来ませんか？
Yokattara, uchi ni kimasen ka?
Would you like to come to my house?

*The English approximation is "*if you want / if it is OK / if you like.*"*

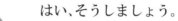

はい、ぜひ。
Hai, zehi.
Yes, I'd like to.

すみません、ちょっと……。
Sumimasen, chotto...
Sorry, I can't...

ましょう。　mashou.　*Let's ~*

では、始めましょう。
Dewa, hajimemashou.　*Well then, let's start.*

10時に会いましょう。
Juu-ji ni aimashou.　*Let's meet at 10 o'clock.*

*The above phrases are used after both parties have already agreed on the topic, so the answer is always affirmative.

はい、そうしましょう。
Hai, sou shimashou.　*Yes, let's do that.*

おねがいします。
Onegai shimasu.　*Yes, please.*
(to a boss, teacher, or elderly person)

ましょうか？　mashou ka?　*Shall I ~ ?*

手伝いましょうか？
Tetsudaimashou ka?
Need some help?

あとで電話しましょうか？
Atode, denwa shimashou ka?
Shall I call you later?

はい、お願いします。
Hai, onegai shimasu.　*Yes, please.*

ありがとうございます。
Arigatou gozaimasu.　*Thank you.*

いいえ、けっこうです。
Iie, kekkou desu.　*No, thank you.*

だいじょうぶです。
Daijoubu desu.　*I'm fine.*

Translation

<at a drinking party>

Yuri:　Shall we drink something to start?

Mario:　Yes, I will have some wine. You too?

Yuri:　I don't drink alcohol, so I will have some oolong tea.

All:　Cheers!

　　　　(two hours later)

Yuri:　Are you OK, Mario? Shall I call a taxi for you?

New words

☐飲み会　drinking party

☐なにか　something

☐いただきます　I'll have ~

☐かんぱい　Cheers

☐２時間後　two hours later

☐だいじょうぶ　OK

☐よびましょうか　Shall I call ~?

Chapter 3
Sentence Patterns

第３章　いろいろな文型

Lesson 22 — Where do you want to go?

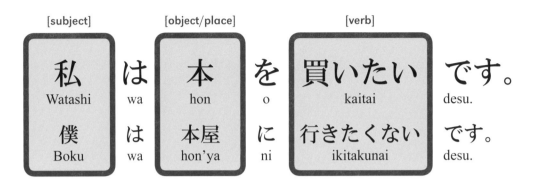

[subject] [object/place] [verb]

| 私 Watashi | は wa | 本 hon | を o | 買いたい kaitai | です。 desu. |
| 僕 Boku | は wa | 本屋 hon'ya | に ni | 行きたくない ikitakunai | です。 desu. |

例 Ex. 私は、本を買いたいです。
Watashi wa, hon o kaitai desu.   *I want to buy a book.*

僕は本屋に行きたくないです。
Boku wa hon'ya ni ikitakunai desu.
I don't want to go to the bookstore.

Point!

- *Want to (some action)* is expressed as "masu" stem + "tai" → 買います + たい
- The ending "tai desu" is mostly used to express one's own hopes or desires. When asking someone else about their desires or wishes, "masu ka" is used instead. (see the next page)
- "tai" is conjugated in the same way as adjectives, thus the negative form is "takunai."

例 Ex. その映画は見たくないです。
Sono eiga wa mitakunai desu.
I don't want to watch that movie.

Dialogue

木村：	ファビオさん、どこにいきましょうか？
ファビオ：	浅草にいきたいです。お寺が見たいですし、おいしい団子が食べたいですね。
木村：	ああ、いいですね。スカイツリーに登りたいし。行きましょう！
ファビオ：	トイレに行きたいので、ちょっと待ってください。

Kimura:	Fabio-san, doko ni ikimashou ka?
Fabio:	Asakusa ni ikitai desu. O-tera ga mitai desu shi, oishii dango ga tabetai desu ne.
Kimura:	Aa, ii desu ne. Sukaitsurii ni noboritai shi. Ikimashou!
Fabio:	Toire ni ikitai node, chotto matte kudasai.

Do you want to ～ ?

<Formal>

いかがですか？
Ikaga desu ka?
Would you like a drink?

いただきます。
Itadaki masu.
Thank you.

<Standard>

飲みますか？
Nomimasu ka?
Do you want a drink?

どうも。
Doumo.
Thanks.

<Casual>

飲みたい / 飲む？
Nomitai/Nomu?
Do you drink?

飲みたい！
Nomitai!
I do!

- When asking to do something ("*I would like to～*"), "tai n desu ga" is often used. Literally, "ga" means *but* and the whole sentence becomes the equivalent of "*I would like to～, but is it OK?*"
- Japanese people consider it polite to leave the rest of the sentence unstated, with its meaning implied.
- Usually, "tai n desu ga" is used in the following situations:

例 Ex. すみません、これを返品したいんですが……。
Sumimasen, kore o henpin shitai n desu ga....
Excuse me, I would like to return this...

すみません、予約をしたいんですが。
Sumimasen, yoyaku o shitai n desu ga.
Excuse me, I would like to make a reservation.

Chapter

3

Translation

Kimura: Where shall we go, Fabio?

Fabio: I want to go to Asakusa. I want to see the temple and eat some delicious *dango*.

Kimura: Good idea. I also want to go up to the top of Skytree. Let's go!

Fabio: Just a minute, I want to go to the bathroom before we go.

New words

☐登りたい want to climb / go up

Show me a menu, please.

[object/adverb]

メニュー Menyuu	を o
日本 Nihon	に ni
ちょっと Chotto	

[verb te-form]

見せて misete	ください。 kudasai.
来て kite	ください。 kudasai.
待って matte	ください。 kudasai.

例 Ex.　メニューを見せてください。
Menyuu o misete kudasai.　*Show me the menu, please.*

はい、どうぞ。
Hai, douzo.　*Here you go.*

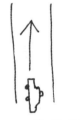

Massugu

Point!

- "Kudasai" is translated as *please*, but it literally means *give me*.
- Adding "kudasai" after a verb makes the request polite.

    mite みて *look* ⟶ **mite kudasai** みてください *Please look.*

- The phrase "onegai shimasu" also means *please*, but it can't be used with a verb. Use "kudasai" for polite requests with verbs: "oshiete kudasai" **not** "oshiete onegai shimasu."

Dialogue

アンマール：すみません、ここお願いします。
　　　　　（住所を見せる）
運転手：　はい。
アンマール：まっすぐ行ってください。そこで止めてください。
運転手：　1,500円です。
アンマール：すみません、レシートおねがいします。
運転手：　はい、少々お待ちください。どうぞ。
アンマール：どうも。

Anmaaru: Sumimasen, koko onegai shimasu. (juusho o miseru)
Untenshu: Hai.
Anmaaru: Massugu itte kudasai. Soko de tomete kudasai.
Untenshu: Sen-go-hyaku en desu.
Anmaaru: Sumimasen, reshiito onegai shimasu.
Untenshu: Hai, shoushou o-machi kudasai. Douzo.
Anmaaru: Doumo.

Using te-form

Group 1

		Example
手伝います tetsudaimasu *help*	手伝って tetsudatte	Tetsudatte kudasai. *Please help me.*
送ります okurimasu *send*	送って okutte	Fairu o okutte kudasai. *Please send me the file.*
急ぎます isogimasu *hurry*	急いで isoide	Isoide kudasai. *Please hurry.*
飲みます nomimasu *drink*	飲んで nonde	Douzo, nonde kudasai. *Please have a drink.*
読みます yomimasu *read*	読んで yonde	Kono peeji o yonde kudasai. *Please read this page.*
歌います utaimasu *sing*	歌って utatte	Nihon no uta o uttate kudasai. *Please sing a Japanese song.*

*For serious incidents such as accidents or injury, "tasukete" is used instead of "tetsudatte."

Group 2

降ります orimasu *get off*	降りて orite	Tsugi no eki de orite kudasai. *Please get off at the next stop.*
見ます mimasu *see/watch*	見て mite	Ano kanban o mite kudasai. *Please look at that sign over there.*
教えます oshiemasu *teach/tell*	教えて oshiete	Tsukaikata o oshiete kudasai. *Please teach me how to use it.*

Group 3

します shimasu *do*	して shite	Meeru shite kudasai. *Please email me.*
きます kimasu *come*	きて kite	Raishuu kite kudasai. *Please come next week.*

Translation

Ammar: Excuse me, I'd like to go here, please. (shows the address)

Driver: OK.

Ammar: Please go straight. Stop there, please.

Driver: That will be 1,500 yen.

Ammar: Sorry, can I get a receipt?

Driver: Sure, just a second. Here you go.

Ammar: Thanks.

New words

☐ メニュー menu
☐ 見せて show
☐ 待って wait
☐ 住所 address
☐ まっすぐ straight
☐ 止めて stop
☐ レシート receipt
☐ お待ちください please wait (honorific)

[object]

[verb te-form]

写真 Shashin	を o	とって totte	も いいですか？ mo ii desu ka?
この水 Kono mizu	を o	飲んで nonde	も いいですよ。 mo ii desu yo.
ワンさんの家 Wan-san no uchi	に ni	行って itte	も いいですか？ mo ii desu ka?

例 | Ex.
写真をとってもいいですか？
Shashin o totte mo ii desu ka?   *May I take a picture?*

はい、いいですよ。/ すみません、ちょっと……。
Hai, ii desu yo. / Sumimasen, chotto…
Yes, you may. / Sorry, but…

Point!

- The "mo" that follows "te-form" verbs is equivalent to *(even) if*. So, "～te mo ii" literally means *"Is it OK (even) if I ～?"*
- Japanese people tend to avoid saying no directly, opting for the ambiguous "chotto..." instead. The phrase implies the meaning "chotto komarimasu," which means *"that would be a little difficult for me."*

Dialogue

（美術館の前で）

マリオ：すみません、ここに車とめてもいいですか？

警備員：すみません、ちょっと……あそこにとめてください。

マリオ：写真とってもいいですか？

警備員：はい、いいですよ。でもフラッシュなしで撮ってください。

マリオ：わかりました。

（Bijutsukan no mae de）

Mario: Sumimasen, koko ni kuruma tomete mo ii desu ka?

Keibiin: Sumimasen, chotto…asoko ni tomete kudasai.

Mario: Shashin totte mo ii desu ka?

Keibiin: Hai, ii desu yo. Demo furasshu nashi de totte kudasai.

Mario: Wakarimashita.

～ te-form + "mo ii desu ka?"

Group 1

		Example
座ります suwarimasu *sit*	座って swatte	Koko, suwatte mo ii desu ka? *May I sit here?*
行きます ikimasu *visit*	行って itte	Asobini itte mo ii desu ka? *May I visit your place?*
入ります hairimasu *enter*	入って haitte	Haitte mo ii desu ka? *May I come in?*
もらいます moraimasu *receive*	もらって moratte	Kore, moratte mo ii desu ka? *May I have this?*
使います tsukaimasu *use*	使って tsukatte	Pasokon, tsukatte mo ii desu ka? *May I use the PC?*

Group 2

食べます tabemasu *eat*	食べて tabete	Saki ni tabete mo ii desu ka? *May I eat ahead of you?*
開けます akemasu *open*	開けて akete	Mado o akete mo ii desu ka? *May I open the window?*
借ります karimasu *borrow/rent*	借りて karite	Pen, karite mo ii desu ka? *May I borrow the pen?*

Group 3

します shimasu *do*	して shite	Onegai shite mo ii desu ka? *May I ask a favor of you?*
きます kimasu *come*	きて kite	Mata koko ni kite mo ii desu ka? *May I come here again?*

Chapter 3

Translation

(in front of an art museum)

Mario: Excuse me, may I park here?

Security guard: Sorry, but you can't.... Please park over there.

Mario: May I take some pictures?

Security guard: Sure, but take them without the flash.

Mario: OK, I see.

New words

☐ フラッシュ flash
☐ ～なしで without

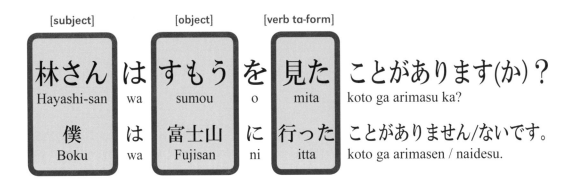

[subject] [object] [verb ta-form]

林さん は すもう を 見た ことがあります(か)？
Hayashi-san wa sumou o mita koto ga arimasu ka?

僕 は 富士山 に 行った ことがありません/ないです。
Boku wa Fujisan ni itta koto ga arimasen / naidesu.

例 Ex. リサさんは富士山に行ったことがありますか？
Risa-san wa Fujisan ni itta koto ga arimasu ka?
Have you ever been to Mt.Fuji, Lisa?

はい。あります。/ いいえ、ありません / ないです。
Hai, arimasu. / Iie, arimasen (naidesu).   *Yes, I have / No, I have not.*

Point!

- Ta-form is a past-tense form that is used in casual conversation. It changes in the same pattern as the te-form, but with "te" replaced by "ta."
- "Koto"=thing, "arimasu"=have
- In conversation, the particles "o" and "ga" are often omitted.

zehi !

Dialogue

近藤：	回転寿司にいったことありますか？	**Kondou:**	Kaitenzushi ni ittakoto arimasu ka?
ダニエラ：	回転寿司？	**Daniera:**	Kaitenzushi?
近藤：	そうそう、寿司がベルトコンベヤーにのってる……。	**Kondou:**	Sousou, sushi ga berutokonbeyaa ni notteru…
ダニエラ：	ああ、見たことありますけど、食べたことありません。	**Daniera:**	Aa, mita koto arimasu kedo, tabeta koto arimasen.
近藤：	じゃ、行ってみましょうか？	**Kondou:**	Ja, itte mimashou ka?
ダニエラ：	はい、ぜひ！	**Daniera:**	Hai, zehi !

ta-form

* The particles "o" and "ga" are omitted to be more natural sounding.

Group 1

		Example
読みます yomimasu *read*	読んだ yonda	Nihon no hon, yonda koto arimasu. *I've read Japanese books before.*
飲みます nomimasu *drink*	飲んだ nonda	Aisu koohii nonda koto arimasen. *I've never drunk iced coffee.*
作ります tsukurimasu *make*	作った tsukutta	Nihon ryouri tsukutta koto arimasu. *I've made Japanese food before.*
聞きます kikimasu *listen*	聞いた kiita	Nihon no ongaku kiita koto naidesu. *I've never heard Japanese music.*

Group 2

食べます tabemasu *eat*	食べた tabeta	Nattou tabeta koto arimasu ka? *Have you ever eaten natto before?*
教えます oshiemasu *teach*	教えた oshieta	Eigo oshieta koto nainode… *I've never taught English before (can't teach it).*

Group 3

します shimasu *do*	した shita	Pachinko shitakoto naidesu ka? *Haven't you played pachinko before?*
来ます kimasu *come*	来た kita	Toukyou ni ichido kita koto arimasu. *I've been to Tokyo once.*

Chapter

3

Translation

Kondo: Have you ever been to a *kaitenzushi* restaurant?

Daniela: *Kaitenzushi*..?

Kondo: Yes, the sushi are on a conveyer belt.

Daniela: Oh, I have seen it, but I have never tried.

Kondo: Well, do you want to try it?

Daniela: Yes, I would love to!

New words

☐ すもう sumo (wrestling)

☐ 富士山 Mt. Fuji

☐ のってる (riding) on top of

☐ ～してみましょうか do you want to try～?

Can you speak Japanese?

[subject]		[object]		[verb]	
楊さん Yan-san	は wa	日本語 Nihongo	が ga	話せ hanase	ます（か）？ masu (ka)?
サラさん Sara-san	は wa	漢字 kanji	が ga	読め yome	ません。 masen.
トムさん Tomu-san	は wa	バイク baiku	に ni	乗れ nore	ます。 masu.

例 Ex. 楊さんは、漢字が読めますか？
Yan-san wa kanji ga yomemasu ka?　*Can Yang read kanji?*

はい、読めます。
Hai, yomemasu.　*Yes, she can.*

‾‾| Point! |‾‾
- The particle "ga" is used after the object when using the potential form. This "ga" is omitted in conversation.
- For vehicles and places + (go/come/be), the particle "ni" is used.
- There is another potential form "*verb* + koto ga dekimasu," but it is not commonly used.

Hot Yoga

Dialogue

サラ：	すみません、会員になりたいです。
スタッフ：	はい。こちらの用紙にお名前、住所、電話番号をおねがいします。書けますか？
サラ：	漢字は書けませんけど、ひらがなは書けます。
スタッフ：	ひらがなでいいですよ。じゃ、こちらが会員証です。1年間使えます。
サラ：	わかりました。どうも。

Sara:	Sumimasen, kaiin ni naritaidesu.
Staffu:	Hai. Kochira no youshi ni onamae, juusho, denwabangou o onegaishimasu. Kakemasuka?
Sara:	Kanji wa kakemasen kedo, hiragana wa kakemasu.
Staffu:	Hiragana de ii desu yo. Ja, kochira ga kaiinshou desu. Ichinenkan tsukaemasu.
Sara:	Wakarimashita. Doumo.

Potential form

Group 1   "i" sounds change into "e" sounds.

		Example
飲みます nomimasu *drink*	飲めます nomemasu	Nihonshu nomemasu. *I can drink sake.*
使います tsukaimasu *use*	使えます tsukaemasu	Ohashi, tsukaemasen. *I can't use chopsticks.*
歌います utaimasu *sing*	歌えます utaemasu	Nihon no uta, utaemasu. *I can sing Japanese songs.*
直します naoshimasu *fix*	直せます naosemasu	Pasokon, naosemasen. *I can't fix computers.*

Group 2   add "rare" [sometimes, "ra" is omitted.]

食べます tabemasu *eat*	食べられます taberaremasu	Butaniku, taberaremasen. *I can't eat pork.*
寝ます nemasu *sleep*	寝られます neraremasu	Yoku neraremasen deshita. *I couldn't sleep well.*

Group 3   irregular

します shimasu *do*	できます dekimasu	Yoyaku dekimasu ka? *Can I make a reservation?*
来ます kimasu *come*	来られます koraremasu	Kyou, koraremasu ka? *Can you come today?*

Chapter

3

Translation

Sarah: Excuse me, I would like to become a member.

Staff: Okay, could you write your name, address and phone number on this form? Can you write it?

Sarah: I can't write kanji, but I can write hiragana.

Staff: Hiragana is fine. Okay then, this is your member's card. You can use this for one year.

Sarah: Got it. Thanks.

New words

☐ 話せます to be able to talk
☐ 読めます to be able to read
☐ 乗れます to be able to ride / get on
☐ 会員 member
☐ 用紙 form
☐ 電話番号 telephone number
☐ 〜でいいですよ 〜is fine.
☐ 会員証 member's card
☐ 1年間 for one-year period

My head hurts.

[subject]		[body part]		[adjectives/verb]	
私 Watashi	は wa	頭 atama	が ga	痛い itai	です。 desu.
		せき Seki	が ga	出 de	ます。 masu.
		熱 Netsu	が ga	あり ari	ます。 masu.

例 Ex.　頭が痛いです。
Atama ga itai desu.　*My head hurts.*

せきが出ます。
Seki ga demasu.　*I have a cough.*

Point!
- "Itai" is an adjective, so the end of the sentence is "desu."
- "Demasu" literally means "to come out" and is used for coughing, sneezing, and a runny nose.
- The particle "ga" is normally used.

Dialogue

（クリニックで）
医者：どうしましたか？
小林：頭がすごく痛いんです。熱もあります。
医者：せきと鼻水は出ますか？
小林：すこし出ます。
医者：口を開けて、みせてください。のどが赤いですね。薬をだしますので、5日間のんでください。

(kurinikku de)

Isha: Doushimashitaka?

Kobayashi: Atama ga sugoku itaindesu. Netsu mo arimasu.

Isha: Seki to hanamizu wa demasuka?

Kobayashi: Sukoshi demasu.

Isha: Kuchi o akete, misetekudasai. Nodo ga akaidesune. Kusuri o dashimasu node, itsukakan nondekudasai.

Body parts

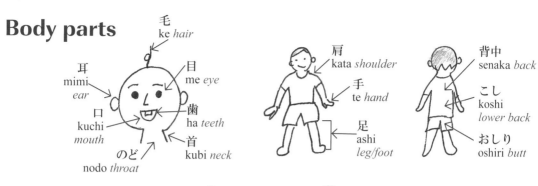

毛
ke *hair*

耳
mimi *ear*

目
me *eye*

口
kuchi *mouth*

歯
ha *teeth*

首
kubi *neck*

のど
nodo *throat*

肩
kata *shoulder*

手
te *hand*

足
ashi *leg/foot*

背中
senaka *back*

こし
koshi *lower back*

おしり
oshiri *butt*

Symptoms

風邪をひきました
Kaze o hikimashita.
caught a cold

熱があります
Netsu ga arimasu.
have a fever

くしゃみが出ます
Kushami ga demasu.
sneeze

鼻水が出ます
Hanamizu ga demasu.
have a runny nose

咳が出ます
Seki ga demasu.
have a cough

だるいです
Darui desu.
languid/sluggish

気分が悪いです
Kibun ga warui desu.
not feeling well

寒気がします
Samuke ga shimasu.
have a chill

アレルギーです
Arerugii desu.
allergy

かゆいです
Kayui desu.
itcy

お腹が痛いです
Onaka ga itai desu.
have a stomachache

Others

診察券
shinsatsuken
patient registration card

保険証
hokenshou
insurance card

薬
kusuri
medicine

処方箋
shohousen
prescription

薬局
yakkyoku
pharmacy

体重
taijuu
weight

Chapter
3

Translation

< At a clinic >

Docter: What is wrong?

Kobayashi: My head really hurts and I have a fever.

Docter: Do you have a cough or a runny nose?

Kobayashi: A little.

Docter: Open your mouth. Its a little red. I will give you some medicine. Take it for five days.

New words

- ☐ 頭 head
- ☐ 痛い hurt
- ☐ せき cough
- ☐ 熱 fever
- ☐ ～んです is (usually used in explanations)
- ☐ 鼻水 runny nose
- ☐ 口 mouth
- ☐ 開けて open
- ☐ 薬 medicine

Appendix

付録

Common question patterns

何 (なに) Nani	*What*	何をしますか？ Nani o shimasuka? 何が好きですか？ Nani ga suki desuka?	*What do/will you do?* *What do you like?*
何 (なん) Nan	*What*	これは何ですか？ Kore wa nan desuka? 何人ですか？ Nan nin desuka? 何時ですか？ Nan ji desuka? 何さいですか？ Nan sai desuka?	*What is this?* *How many people?* *What time?* *How old?*
いつ Itsu	*When*	いつですか？ Itsu desuka?	*When is it?*
どこ Doko (informal)	*Where*	どこからですか？ Doko kara desuka? 駅はどこですか？ Eki wa doko desuka?	*Where are you from?* *Where is the station?*
どちら Dochira (formal)	*Where,* *Which*	どちらからですか？ Dochira kara desuka? どちらがよろしいですか？ Dochira ga yoroshii desuka?	*Where you from?* *Which one would you like?*
だれ Dare だれの Dareno (informal: not use in directly)	*Who,* *Whose*	これはだれですか？ (in a pic) Kore wa dare desuka? だれのバッグですか？ Dare no baggu desuka?	*Who is this?* *Whose bag?*
どなた Donata (formal)	*Who*	どなたですか？ (on a phone) Donata desuka? どなたのバッグですか？ Donata no baggu desuka?	*Who are you?* *Whose bag?*

いくら Ikura	*How much*	いくらですか？ Ikura desuka?	*How much?*
どのくらい Donokurai	*How long*	どのくらい日本にいますか？ Donokurai nihon ni imasuka? どのくらいかかりますか？ Donokurai kakarimasuka?	*How long have you been in Japan?* *How long does it take?*
どうやって Douyatte	*How*	どうやって行きますか？ Douyatte ikimasuka?	*How do I get there?*
どう Dou	*How*	どうでしたか？ Dou deshita ka?	*How was it?*
どう Dou	*What*	どうしましたか？ Dou shimashitaka?	*What is wrong?*
どうして Doushite (formal)	*Why*	どうしてですか？ Doushite desuka?	*Why?*

Verb conjugation

Group 1

dictionary form	masu-form	te-form	ta-form	potential form
会う *meet* au	会います aimasu	会って atte	会った atta	会えます aemasu
歌う *sing* utau	歌います utaimasu	歌って utatte	歌った utatta	歌えます utaemasu
買う *buy* kau	買います kaimasu	買って katte	買った katta	買えます kaemasu
吸う *smoke* suu	吸います suimasu	吸って sutte	吸った sutta	吸えます suemasu
言う *say* iu	言います iimasu	言って itte	言った itta	言えます iemasu
違う *differ* chigau	違います chigaimasu	違って chigatte	違った chigatta	
払う *pay* harau	払います haraimasu	払って haratte	払った haratta	払えます haraemasu
使う *use* tsukau	使います tsukaimasu	使って tsukatte	使った tsukatta	使えます tsukaemasu
持つ *have/hold* motsu	持ちます mochimasu	持って motte	持った motta	持てます motemasu
待つ *wait* matsu	待ちます machimasu	待って matte	待った matta	待てます matemasu
立つ *stand* tatsu	立ちます tachimasu	立って tatte	立った tatta	立てます tatemasu
取る *take* toru	取ります torimasu	取って totte	取った totta	取れます toremasu
曲がる *turn* magaru	曲がります magarimasu	曲がって magatte	曲がった magatta	曲がれます magaremasu
入る *enter* hairu	入ります hairimasu	入って haitte	入った haitta	入れます hairemasu
よる *stop by* yoru	よります yorimasu	よって yotte	よった yotta	よれます yoremasu

dictionary form	masu-form	te-form	ta-form	potential form
作る *make* tsukuru	作ります tsukurimasu	作って tsukutte	作った tsukutta	作れます tsukuremasu
送る *send* okuru	送ります okurimasu	送って okutte	送った okutta	送れます okuremasu
知る *know* shiru	知ります shirimasu	知って shitte	知った shitta	
分かる *understand* wakaru	分かります wakarimasu	分かって wakatte	分かった wakatta	
乗る *ride* noru	乗ります norimasu	乗って notte	乗った notta	乗れます noremasu
困る *be troubled* komaru	困ります komarimasu	困って komatte	困った komatta	
帰る *return* kaeru	帰ります kaerimasu	帰って kaette	帰った kaetta	帰れます kaeremasu
通る *pass* tooru	通ります toorimasu	通って tootte	通った tootta	通れます tooremasu
登る *climb* noboru	登ります noborimasu	登って nobotte	登った nobotta	登れます noboremasu
選ぶ *choose* erabu	選びます erabimasu	選んで erande	選んだ eranda	選べます erabemasu
運ぶ *carry* hakobu	運びます hakobimasu	運んで hakonde	運んだ hakonda	運べます hakobemasu
遊ぶ *play/hang out* asobu	遊びます asobimasu	遊んで asonde	遊んだ asonda	遊べます asobcmasu
呼ぶ *call* yobu	呼びます yobimasu	呼んで yonde	呼んだ yonda	呼べます yobemasu
転ぶ *fall* korobu	転びます korobimasu	転んで koronde	転んだ koronda	転べます korobemasu
住む *live* sumu	住みます sumimasu	住んで sunde	住んだ sunda	住めます sumemasu
混む *be crowded* komu	混みます komimasu	混んで konde	混んだ konda	
読む *read* yomu	読みます yomimasu	読んで yonde	読んだ yonda	読めます yomemasu

dictionary form	masu-form	te-form	ta-form	potential form
休む *rest* yasumu	休みます yasumimasu	休んで yasunde	休んだ yasunda	休めます yasumemasu
書く *write* kaku	書きます kakimasu	書いて kaite	書いた kaita	書けます kakemasu
着く *arrive* tsuku	着きます tskimasu	着いて tsuite	着いた tsuita	着けます tsukemasu
聞く *hear/listen* kiku	聞きます kikimasu	聞いて kiite	聞いた kiita	聞けます kikemasu
書く *write* kaku	書きます kakimasu	書いて kaite	書いた kaita	書けます kakemasu
歩く *walk* aruku	歩きます arukimasu	歩いて aruite	歩いた aruita	歩けます arukemasu
開く *open* aku	開きます akimasu	開いて aite	開いた aita	
泳ぐ *swim* oyogu	泳ぎます oyogimasu	泳いで oyoide	泳いだ oyoida	泳げます oyogemasu
急ぐ *hurry* isogu	急ぎます isogimasu	急いで isoide	急いだ isoida	急げます isogemasu
渡す *hand/pass* watasu	渡します watashimasu	渡して watashite	渡した watashita	渡せます watasemasu
貸す *lend/rent* kasu	貸します kashimasu	貸して kashite	貸した kashita	貸せます kasemasu
返す *return* kaesu	返します kaeshimasu	返して kaeshite	返した kaeshita	返せます kaesemasu
落とす *drop* otosu	落とします otoshimasu	落として otoshite	落とした otoshita	落とせます otosemasu
探す *look for* sagasu	探します sagashimasu	探して sagashite	探した sagashita	探せます sagasemasu
話す *talk/speak* hanasu	話します hanashimasu	話して hanashite	話した hanashita	話せます hanasemasu
行く *go* iku	行きます ikimasu	行って itte	行った itta	行けます ikemasu

Group 2

dictionary form	masu-form	te-form	ta-form	potential form
あげる *give* ageru	あげます agemasu	あげて agete	あげた ageta	あげられます agerareamsu
閉める *close* shimeru	閉めます shimemasu	閉めて shimete	閉めた shimeta	閉められます shimeraremasu
食べる *eat* taberu	食べます tabemasu	食べて tabete	食べた tabeta	食べられます taberaremasu
起きる *wake up* okiru	起きます okimasu	起きて okite	起きた okita	起きられます okiraremasu
寝る *sleep* neru	寝ます nemasu	寝て nete	寝た neta	寝られます neraremasu
入れる *put in* ireru	入れます iremasu	入れて irete	入れた ireta	入れられます ireraremasu
見る *see/look* miru	見ます mimasu	見て mite	見た mita	見られます miraremasu
教える *teach* oshieru	教えます oshiemasu	教えて oshiete	教えた oshieta	教えられます oshieraremasu
見せる *show* miseru	見せます misemasu	見せて misete	見せた miseta	見せられます miseraremasu
とめる *stop* tomeru	とめます tomemasu	とめて tomete	とめた tometa	とめられます tomeraremasu
忘れる *forget* wasureru	忘れます wasuremasu	忘れて wasurete	忘れた wasureta	忘れられます wasureraremasu
着る *wear* kiru	着ます kimasu	着て kite	着た kita	着られます kiraremasu

Group 3

dictionary form	masu-form	te-form	ta-form	potential form
する *do* suru	します shimasu	して shite	した shita	できます dekimasu
来る *come* kuru	来ます kimasu	来て kite	来た kita	来られます koraremasu

Adjective conjugation

i-adjectives

base	negative	past	past negative
大きいです *big* ookii desu	大きくないです ookikunai desu	大きかったです ookikatta desu	大きくなかったです ookikunakatta desu
小さいです *small* chiisai desu	小さくないです chiisakunai desu	小さかったです chiisakatta desu	小さくなかったです chiisakunakatta desu
新しいです *new* atarashii desu	新しくないです atarashikunai desu	新しかったです atarashikatta desu	新しくなかったです atarashikunakatta desu
古いです *old* furui desu	古くないです furukunai desu	古かったです furukatta desu	古くなかったです furukunakatta desu
暑いです *hot (air)* atsui desu	暑くないです astukunai desu	暑かったです atsukatta desu	暑くなかったです atsukunakatta desu
寒いです *cold (air)* samui desu	寒くないです samukunai desu	寒かったです samukatta desu	寒くなかったです samukunakatta desu
熱いです *hot (touch)* atsui desu	熱くないです atsukunai desu	熱かったです atsukatta desu	熱くなかったです atsukunakatta desu
冷たいです *cold (touch)* tsumetai desu	冷たくないです tsumetakunai desu	冷たかったです tsumetakatta desu	冷たくなかったです tsumetakunakatta desu
高いです *high/expensive* takai desu	高くないです takakunai desu	高かったです takakatta desu	高くなかったです takakunakatta desu
低いです *low* hikui desu	低くないです hikukunai desu	低かったです hikukatta desu	低くなかったです hikukunakatta desu
安いです *cheap* yasui desu	安くないです yasukunai desu	安かったです yasukatta desu	安くなかったです yasukunakatta desu
難しいです *difficult* muzukashii desu	難しくないです muzukashikunai desu	難しかったです muzukashikatta desu	難しくなかったです muzukashikunakatta desu
易しいです *easy* yasashii desu	易しくないです yasahikunai desu	易しかったです yasashikatta desu	易しくなかったです yasashikunakatta desu
優しいです *kind* yasashii desu	優しくないです yasashikunai desu	優しかったです yasashikatta desu	優しくなかったです yasashikunakatta desu
おもしろいです *interesting* omoshiroi desu	おもしろくないです omoshirokunai desu	おもしろかったです omoshirokatta desu	おもしろくなかったです omoshirokunakatta desu

base	negative	past	past negative
おいしいです *delicious* oishii desu	おいしくないです oishikunai desu	おいしかったです oishikatta desu	おいしくなかったです oishikunakatta desu
辛いです *spicy* karai desu	辛くないです karakunai desu	辛かったです karakatta desu	辛くなかったです karakunakatta desu
甘いです *sweet* amai desu	甘くないです amakunai desu	甘かったです amakatta desu	甘くなかったです amakunakatta desu
楽しいです *fun* tanoshii desu	楽しくないです tanoshikunai desu	楽しかったです tanoshikatta desu	楽しくなかったです tanoshikunakatta desu
いいです *good* ii desu	よくないです yokunai desu	よかったです yokatta desu	よくなかったです yokunakatta desu
悪いです *bad* warui desu	悪くないです warukunai desu	悪かったです warukatta desu	悪くなかったです warukunakatta desu
近いです *close* chikai desu	近くないです chikakunai desu	近かったです chikakatta desu	近くなかったです chikakunakatta desu
遠いです *far* tooi desu	遠くないです tookunai desu	遠かったです tookatta desu	遠くなかったです tookunakatta desu
かわいいです *cute* kawaii desu	かわいくないです kawaikunai desu	かわいかったです kawaikatta desu	かわいくなかったです kawaikunakatta desu
こわいです *scary* kowai desu	こわくないです kowakunai desu	こわかったです kowakatta desu	こわくなかったです kowakunakatta desu
つまらないです *boring* tsumaranai desu	つまらなくないです tsumaranakunai desu	つまらなかったです tsumaranakatta desu	つまらなくなかったです tsumaranakunakatta desu
悲しいです *sad* kanashii desu	悲しくないです kanashikunai desu	悲しかったです kanashikatta desu	悲しくなかったです kanashikunakatta desu

Appendix

Connecting i-adjectives

AND

おおきい　　あかい　➡　おおき**くて**　あかい　　　*big and red*

ookii　　and　akai　⇨　　ooki**kute**　　akai

*change final "i" into "kute."   This is used for describing a thing or person objectively.

AND/ALSO

おおきい　　　あかい　➡　おおきい**し**　あかい　　　*big and/also red*

ookii　and/also　akai　⇨　　ookii **shi**　　akai

*This is used for describing a thing or person subjectively.

BUT

おおきい　　　やすい　➡　おおきい　**けど**　やすい　　*big but inexpensive*

ookii　　but　yasui　⇨　　ookii　**kedo**　yasui

BECAUSE

おおきい　　　たかい　➡　おおきい　**から**　たかい　　*expensive because it is big*

ookii　　takai　⇨　　ookii　**kara**　takai

おおきい　　　たかい　➡　おおきい　**ので**　たかい

ookii　　takai　⇨　　ookii　**node**　takai

*"node" is softer than "kara".

na-adjectives

base	negative	past	past negative
べんりです *convenient* benri desu	べんりじゃないです benri janai desu	べんりでした benri deshita	べんりじゃなかったです benri janakatta desu
不便です *inconvenient* fuben desu	不便じゃないです fuben janai desu	不便でした fuben deshita	不便じゃなかったです fuben janakatta desu
静かです *quiet* shizuka desu	静かじゃないです shizuka janai desu	静かでした shizuka deshita	静かじゃなかったです shizuka janakatta desu
にぎやかです *lively* nigiyaka desu	にぎやかじゃないです nigiyaka janai desu	にぎやかでした nigiyaka deshita	にぎやかじゃなかった desu nigiyaka janakatta desu
有名です *famous* yuumei desu	有名じゃないです yuumei janai desu	有名でした yuumei deshita	有名じゃなかったです yuumei janakatta desu
暇です *free* hima desu	暇じゃないです hima janai desu	暇でした hima deshita	暇じゃなかったです hima janakatta desu
好きです *like* suki desu	好きじゃないです suki janai desu	好きでした suki deshita	好きじゃなかったです suki janakatta desu
嫌いです *hate* kirai desu	嫌いじゃないです kirai janai desu	嫌いでした kirai deshita	嫌いじゃなかったです kirai janakatta desu
上手です *be good at* jouzu desu	上手じゃないです jouzu janai desu	上手でした jouzu deshita	上手じゃなかったです jouzu janakatta desu
下手です *be bad at* heta desu	下手じゃないです heta janai desu	下手でした heta deshita	下手じゃなかったです heta janakatta desu
素敵です *nice/lovely* suteki desu	素敵じゃないです suteki janai desu	素敵でした suteki deshita	素敵じゃなかったです suteki janakatta desu
普通です *normal* futsuu desu	普通じゃないです futsuu janai desu	普通でした futsuu deshita	普通じゃなかったです futsuu janakatta desu
変です *strange* hen desu	変じゃないです hen janai desu	変でした hen deshita	変じゃなかったです hen janakatta desu
伝統的です *traditional* dentouteki desu	伝統的じゃないです dentouteki janai des	伝統的でした dentouteki deshita	伝統的じゃなかったです denntouteki janakatta desu
親切です *kind* shinsetsu desu	親切じゃないです shinsetsu janai desu	親切でした shinsetsu deshita	親切じゃなかったです shinsetsu janakatta desu
真面目です *serious* majime desu	真面目じゃないです majime janai desu	真面目でした majime deshita	真面目じゃなかったです majime janakatta desu
失礼です *rude* shitsurei desu	失礼じゃないです shitsurei janai desu	失礼でした shitsurei deshita	失礼じゃなかったです shitsurei janakatta desu

	base	negative	past	past negative
嫌です *disagreeable* iya desu	嫌じゃないです iya janai desu	嫌でした iya deshita	嫌じゃなかったです iya janakatta desu
元気です *healthy* genki desu	元気じゃないです genki janai desu	元気でした genki deshita	元気じゃなかったです genki janakatta desu
いろいろです *varied* iroiro desu	いろいろじゃないです iroiro janai desu	いろいろでした iroiro deshita	いろいろじゃなかったです iroiro janakatta desu

Connecting na-adjectives

AND

まじめ	しんせつ	➡	まじめ	で	しんせつ
majime	shinsetsu	⇨	majime	de	shinsetsu

*This is used for describing a thing or person objectively.

ALSO

まじめ	しんせつ	➡	まじめ	だし	しんせつ
majime	shinsetsu	⇨	majime	dashi	shinsetu

*This is used for describing a thing or person subjectively.

BUT

まじめ	おもしろい	➡	まじめ	だけど	おもしろい
majime	omoshiroi	⇨	majime	dakedo	omoshiroi

BECAUSE

親切	好き	➡	親切	だから	好き
shinsetsu	suki	⇨	shinsetsu	dakara	suki

親切	好き	➡	親切	なので	好き
shinsetsu	suki	⇨	shinsetsu	nanode	suki

そうです sou desu *looks, sounds*

i-adjectives: take off the final "i" and put "soudesu."

小さそうです
chiisa soudesu *looks/sounds small*

おいしそうです
oishi soudesu *looks/sounds delicious*

*"Kawaii" doesn't change into "soudesu."

na-adjectives: just add "soudesu."

簡単そうです
kantan soudesu *looks/sounds easy*

危険そうです
kiken soudesu *looks/sounds dangerous*

すぎます sugi masu *too...*

The word "sugimasu" is attached to adjectives in order to express *too <something>*. It is a verb that means *to pass or exceed*.

i-adjectives: take off the final "i" and put "sugimasu."

小さすぎます
chiisa sugimasu *too small*

大きすぎます
ooki sugimasu *too big*

多すぎます
oo sugimasu *too many*

少なすぎます
sukuna sugimasu *too few*

na-adjectives: just add "sugimasu."

簡単すぎます
kantan sugimasu *too easy*

危険すぎます
kiken sugimasu *too dangerous*

好きすぎます
suki sugimasu *like too much*

Appendix

More about romaji (p. 11)

When you encounter the small hiragana "tsu" (っ), it means you should pause slightly before you pronounce the syllable that follows—similar to a doubled consonant in English. For example, the English word "apple" is written あっぷる in hiragana, and "appuru" in romaji.

kk	ゆっくり	yukkuri	*slowly*
pp	いっぱい	ippai	*full*
ss	いっしょ	issho	*together*
tt	まってください	mattekudasai	*please wait*

Long vowels are expressed using the katakana " ー ".

ケーキ	keeki	*cake*
ジョーン	joon	*Joan (name)*

Here are some ways that syllables from foreign languages are expressed.

イェ	ye								
ウィ	wi	ウェ	we	ウォ	wo				
ヴァ	va	ヴィ	vi	ヴ	vu	ヴェ	ve	ヴォ	vo
ヴュ	vyu								
スィ	si	シェ	she						
ズィ	zi	ジェ	je						
ティ	ti	トゥ	tu	チェ	che				
ディ	di	ドゥ	du	ヂェ	je				
ファ	fa	フィ	fi	フェ	fe	フォ	fo		